Volgende keer bij ons

Van dezelfde auteur

Geluksblind
De perfecte minnares

Marian Mudder

Volgende keer bij ons

A.W. Bruna Fictie

Fotografie omslagbeeld
Kambiz Rajabzada
Omslagontwerp
Jeroen van As
Auteursfoto
Rayzor Sharp

ISBN 978 90 229 9863 2
NUR 301

Bronvermelding quotes:
Tolstoy, Leo, *Anna Karenina*, Simon & Schuster Enriched Classics 2010.
Houellebecq, Michel, *De kaart en het gebied*, De Arbeiderspers 2011.
Sendak, Maurice, *Where The Wild Things Are*, Harper Collins 1988.

Dit boek is gedrukt op papier dat het keurmerk van de Forest Stewardship Council (FSC®) mag dragen. Bij dit papier is het zeker dat de productie niet tot bosvernietiging heeft geleid. Een flink deel van de grondstof is afkomstig uit bossen en plantages die worden beheerd volgens de regels van FSC. Van het andere deel van de grondstof is vastgesteld dat hiervoor geen houtkap in de laatste resten waardevol bos heeft plaatsgevonden. Daarom mag dit papier het FSC Mix label dragen. Voor dit boek is het FSC-gecertificeerde Munkenprint gebruikt. Dit papier is 100% chloor- en zwavelvrij gebleekt en wordt geleverd door Arctic Paper Munkedals AB, Zweden.

Happy families are all alike; every unhappy family is unhappy in its own way.

Lev Tolstoj, *Anna Karenina*

'Het leven biedt je soms een kans, maar als je te laf bent of te besluiteloos bent om die te benutten neemt het leven zijn kaarten terug, er is een moment om te handelen en een mogelijk geluk te betreden, dat moment duurt een paar dagen, soms een paar weken of zelfs een paar maanden maar het doet zich maar één keer voor, en als je het later wilt terugvinden is dat domweg onmogelijk, er is geen plaats meer voor enthousiasme, overtuiging en geloof, wat overblijft is zachte berusting, droef wederzijds medelijden, het even nutteloze als juiste besef dat het iets had kunnen worden, dat je je het aangeboden geschenk domweg niet waardig hebt getoond.'

Michel Houellebecq

Douglas: 'Will you keep out all the sadness?'
Max: 'I have a sadness shield that keeps out all the sadness, and it's big enough for all of us.'

Maurice Sendak, *Where the wild things are*

'Kom je bed uit. Je moet me helpen. Papa gaat weg.'

Mama schudt me wakker.

Ze is in paniek. Ze huilt.

Ik spring mijn bed uit en ren achter haar aan naar de grote slaapkamer.

'Doe iets.' Ze duwt me naar binnen en sluit de deur achter me.

In de slaapkamer van mijn ouders hangt de geur van alcohol.

Mijn vader staat wankel op zijn benen. Er ligt een koffer op het bed. Hij staat voor de garderobekast, trekt zijn kostuums van de knaapjes en slingert ze op een hoop achter zich.

'Ik ben het zat,' schreeuwt hij. 'Ik blijf hier geen dag langer.'

Hij houdt zich aan de kastdeur vast om niet om te vallen.

'Papa?' Ik trek aan zijn broekspijp. 'Papa, ga je echt weg?'

Hij kijkt me aan. Zijn gezicht is een beetje bezweet en zijn ogen zijn rood doorlopen.

'Wat doe jij hier? Jij hoort in je bed te liggen.' Hij maakt rare smakkende bewegingen met zijn mond. Zijn adem stinkt. Ik pak zijn been en klem me vast.

'Niet weggaan, papa.' Ik begin te huilen.

'Ja, begin jij ook nog es. Jullie hangen als een molensteen om mijn nek.' Zijn barse stem klinkt door het hele huis.

'Hoor je dat? Jullie allemaal.'

Hij haalt zijn hand door mijn haar.

'Heeft je moeder je uit bed gehaald?'

Ik knik.

'Wel potverd...' In twee stappen is hij bij de deur en trekt hem

open. Mama staat op de gang. Met twee handen houdt ze haar ochtendjas dicht. Ze draagt roze pantoffels met strikjes. Die doe ik weleens aan als ik speel dat ik Jane Bond ben die een vrije dag heeft.

'Niet doen,' zegt ze en ze doet een paar stapjes achteruit.

'Je moet de kinderen erbuiten houden!' schreeuwt hij. 'Wat zeg ik nou altijd, je moet de kinderen erbuiten houden.'

Opeens komt Boef vanuit de slaapkamer de gang in rennen. 'Zuiplap,' gilt hij en hij geeft mijn vader een duw. Hij valt tegen de muur. Boef rent langs mijn vader, pakt me vast en trekt me de garderobekast in. Aan de binnenkant van de deuren hangen mijn vaders stropdassen. Hij trekt eraan en sluit de deuren. We kruipen achter de pantalons en de jurken. Hij slaat zijn armen stijf om me heen.

'Alles komt goed, iedereen heeft recht op geluk. Alles komt goed, iedereen heeft recht op geluk.' Hij fluistert het in mijn oor. Ik voel hoe zijn lichaam trilt.

'Ga je me nog vertellen waar je bent geweest?' brult mijn vader.

'Dat kan ik beter aan jou vragen,' krijst mijn moeder.

'Ik vraag het nog een keer: waar ben jij geweest?' schreeuwt hij deze keer met een stem die dondert, een stem waar de glazen op de nachtkastjes van rinkelen, en waardoor ik in elkaar krimp van angst.

Boef houdt zijn handen voor mijn oren. Ik schud mijn hoofd en duw ze weg...

'Nergens,' hoor ik mama zeggen. 'Wat kan jou het schelen waar ik ben geweest.'

Ik hoor een klap en ik hoor glas rinkelen. Porselein dat op de grond kapot valt.

'Ik wou dat je dood was,' jammert mama.

'Je moet je bek houden! Hou je bek!' hoor ik mijn vader roepen.

Boef houdt weer zijn handen voor mijn oren.

'Alles komt goed,' fluistert hij weer. 'Iedereen verdient het om gelukkig te zijn. Drie keer snel ademhalen en één keer lang. Drie keer snel ademhalen en één keer lang. Weet je nog? Als we het moeilijk hebben moeten we drie keer snel ademhalen en één keer lang.'

Ik begin snel adem te halen. Ik word duizelig. Ik begin zachtjes te huilen.

'Stil maar,' zegt hij. 'Je moet niet huilen.' Hij legt zijn handen op mijn ogen. Mijn achterhoofd leunt tegen zijn borst. Ik voel hoe hij langzaam en heel diep inademt.

'Het is genoeg geweest. Ik ga er wat aan doen.'

Hij laat me los en kruipt op handen en voeten om me heen, duwt de kastdeur open, staat op en springt eruit.

'Batman to the rescue,' *roept hij. Hij rent de gang in. Een kapot gevallen vaas ligt op de grond. Mijn moeder ligt ernaast. Ze heeft een snee in haar voorhoofd en er loopt bloed over haar gezicht.*

Boef springt op de rug van mijn vader. Het is alsof er een babyaapje op de rug van een gorilla springt. Mijn vader richt zich op alsof hij niet snapt wat er gebeurt en schudt hem van zich af. Boef valt op de grond maar herpakt zich en roffelt met zijn vuisten op de borst van mijn vader. 'Dood moet je, dood moet je,' schreeuwt hij in razernij.

Mijn vader kijkt er even naar, pakt hem dan in zijn nek vast, draait zijn arm achter zijn rug en sleept hem naar zijn eigen kamer. Ik ren erachteraan. Boef gilt en trapt. Boef is klein en mijn vader is groot en sterk. En woedend. En dronken. Als hij zo kijkt als nu houd ik me stil. Dan duw ik mijn rug tegen de muur en sta ik stokstijf stil. Annemaria Koekoek. Als ik me niet beweeg dan word ik niet gezien. De deur van Boefs kamer is zacht en beplakt met een dikke laag schuimrubber, zodat er geen geluid in en geen geluid uit kan komen. Het schuimrubber schuurt zacht over de vloer en de deur valt met een zachte plof in het slot. Door de luchtverschuiving worden mijn haren heel licht opgetild. Dan is het oorverdovend stil in huis.

1

GOOD DAY SUNSHINE

'Hij doet zijn huiswerk niet en komt met een 8,5 thuis. Dus zeg ik tegen hem: "Als je nou heel hard had gewerkt en een 7,3 had gehaald dan was het hartstikke goed geweest. Maar een 8,5 terwijl je niets hebt gedaan dat is niet oké."'

Sonja kijkt me aan en verwacht bijval.

'Een 8,5 is toch geweldig?' probeer ik voorzichtig.

'Ja, maar hij heeft niets gedáán,' zegt ze weer, en ze verslikt zich bijna in haar eigen verontwaardiging.

'Hij had een 9,5 kunnen hebben of een 10.' Ze spreekt de 10 uit met een scherpe t. Om te benadrukken dat een 10 echt goed is, en dat haar zoon die dus met een beetje moeite had kunnen halen.

'Maar dat is toch twee keer zo knap,' antwoord ik en ik moet me inhouden om 'twee' niet met dezelfde nadruk uit te spreken als zij zojuist gedaan heeft met 'tien'. 'Een 8,5 halen terwijl hij er niets voor heeft hoeven doen is toch juist heel goed?'

En verder zou ik willen zeggen dat als het hem zo makkelijk afgaat, hij tijd en energie overhoudt om dingen te doen die hij leuk vindt, om zich op andere gebieden te ontwikkelen. Maar dat is geloof ik niet de bedoeling. Hij moet harder rennen, het uiterste uit zichzelf halen, zoals overal het uiterste uit gehaald moet worden waardoor we met een uitgeputte economie zitten; een economie die altijd moet groeien en onze aarde uitput. En het begint thuis, die narigheid, naast de open haard, bij het schoentje dat voor Sinterklaas wordt neergezet. Dat zou ik willen zeggen, maar ik doe het niet. Beter van niet.

Ze kijkt me aan met een blik die mij vertelt dat ik er niets van snap. Ik ben geen moeder. Ik begrijp niet dat presteren op nummer 1 staat en gelukkig zijn op nummer 2, of misschien wel helemaal niet in de lijst voorkomt. Zo ben ik opgevoed. Zo is zij opgevoed. Het heeft ons doodongelukkig gemaakt, maar zij zet het patroon doodleuk voort. Misschien dat haar kind wel weet hoe deze race tot een succesvol einde te brengen. De maatschappij draait op succes en succes wordt nog altijd uitgedrukt in cijfers, in economisch gewin en niet in gradaties van geluk. Geluk, geluk, dat zijn van die achterhaalde begrippen, mevrouwtje. Ik zou een heel andere moeder zijn dan Sonja. Denk ik. Hoop ik. Maar om elk risico uit te sluiten heb ik geen kinderen. Ze zucht en neemt nog een haal van haar sigaret. 'Soms heb ik gewoon een kinderdip. Dan maakt het me geen fuck meer uit wie er op ze past, als ze maar in leven blijven.'

We zitten in de serre, het fijnste plekje van het huis, vooral om drie uur 's middags wanneer de zon er pal in schijnt. De zon heeft een rustgevende uitwerking op me en doet mijn zorgen wegsmelten. Als ik zachtjes sudderend in de zon zit, kan het gebeuren dat alles van me afvalt en dat de wereld voor korte tijd stil is. Dan kan het gebeuren dat de wereld mijn vriend is. Een veilige vriend, bij wie het goed toeven is. Het zijn momenten van geluk waar ik bewust van wil genieten, omdat de wereld niet zo vaak stilstaat. De wereld gaat bijkans ten onder, de beschaving zoals we die kennen staat op het punt van instorten, maar hier in mijn serre is er rust. Zielsgelukkig word ik ervan. Het is het moment dat ik me graag opkrul op de bank waar ik nog een streepje zon pak, dan kies ik een onderwerp waar ik es lekker over ga zitten nadenken. Zo heb ik ooit het bladerdeeg uitgevonden. In gedachten zag ik het voor me; de flinterdunne, knapperige laagjes deeg en vroeg me af hoe het gemaakt zou worden. Ik bedacht hoe het deeg uitgerold zou moeten worden en er dan telkens een laagje vet op aangebracht zou moeten worden om het vervolgens te vouwen en uit te walsen. Later keek ik in het kookboek en warempel, het klopte. En zo heb ik dus eigenlijk het bladerdeeg uitgevonden. Het bestond al, maar dat is een kleinigheid.

'Zullen we buiten gaan zitten?' vraagt Sonja.
'Ik zit hier net zo lekker in het zonnetje.'
'Koukleum.'
'Ik ben geen koukleum, ik heb het graag warm.'
'Mag ik dan de deur op een kiertje zetten?' Ze wappert met haar handen om zich heen. 'Ik heb een opvlieger.'
Ander onderwerp.
'Zal ik een kopje thee zetten?'
'Ja, lekker. En doe er een glas koud water bij.'
Ik loop naar de keuken, zet de waterkoker aan en slaak een zucht.

De dag begon zo heerlijk. Er is niets heerlijker dan wakker worden door het gezang van de vogeltjes die vertellen dat de zon schijnt, *that it's gonna be a bright sunny morning.* Wakker worden uit een diepe ontspannen slaap met rugspieren die aanvoelen als natte vaatdoekjes, zo slap en zacht. Ik hoorde vinkjes en een kranige merel die op het dak uit volle borst tekeerging. Het zachte geruis van de bomen achter in de tuin. De rustige ademhaling van Rig die naast me lag te slapen.

Wake up you sleepy head
Put on some clothes, shake up your bed
Put another log on the fire for me
I've made some breakfast and coffee

Ik laat een paar blaadjes Buddha Amacha-thee in de kopjes vallen. Het is een bijzondere thee en kost € 19,95 per ons, maar dan heb je ook wat. Deze thee vraagt om een rustige wijze van zetten, geen kokend water, want dan verbrandt het tedere blad. De thee wordt gemaakt van hortensiabladeren die worden gedroogd op bananenbladeren, wat de thee een intens zoete smaak geeft. Japanners kennen er magische krachten aan toe, zoals het uitbannen van kwade geesten. Hoe toepasselijk op deze zonnige dinsdagmiddag.

2

WAT KOM JE NOU TOF DOEN MET JE STAART EN JE SNORHAREN?

Nouba, mijn kat, zwiepstaart om me heen en rekt zich uit waarbij hij zijn voorpootjes steeds een beetje verder weg zet en tegelijkertijd zijn teentjes strekt. *Downward facing cat.* Daar kan menig yogi een puntje aan zuigen. Vreemd eigenlijk dat geen enkele yogapose de naam van een kat heeft. Nouba is een Abessijn, intelligent en aanhankelijk, net als Rig. Ik heb hem gekregen als kitten van zeven weken. Het is een boef, een jager. En hij jaagt voor mij. Ik ben zijn lady. Een kat schijnt de mens als een gelijke of een ondergeschikte te zien. Ik ben zijn moeder, zijn vrouw en zijn maatje. Meestal slaapt hij op bed, maar in de zomer blijft hij 's nachts weleens buiten om me 's ochtends te verrassen met een dood vogeltje: 'Kijk es! Voor jou!'

Ik til hem op en duw mijn neus in zijn dikke vacht. Zijn lichaam trilt van het spinnen. Ik leg hem over mijn schouder en buig een stukje voorover zodat hij over mijn rug naar de plank aan de muur kan lopen waar de kattensnoepjes staan. Het is ons kleine ritueel. Ik trek het zakje open en geef hem een snoepje en vul zijn bakje met brokjes. Ik aai hem even over zijn rug. Zijn ruggengraat golft mee onder mijn aanraking. Dan draait hij zich om en sjokt de keuken uit de trap op. Tijd om een uiltje te knappen. Daar benijd ik katten om. Om het gemak waarmee ze lui zijn. Een kat zal nooit denken: 'Ik hoop dat niemand denkt dat ik een waardeloze kat ben omdat ik een uiltje lig te knappen.' Een kat knapt een uiltje. Punt. Een kat doet alles wat hij doet met alles wat hij in zich heeft en heeft geen last van zelfcensuur. Daarom kunnen ze zo goed op de centrale verwarming springen. Iets wat best een hachelijke onderneming is als je er goed over nadenkt. Vooral als het zo'n ouderwetse is zoals in mijn huis, met hoge, scherpe, uitstaande compartimenten. Maar omdat ze niet kunnen denken: 'godallemachtig, als ik dat maar haal, en waarom heeft die centrale verwarming geen glad oppervlak, dat is toch geen doen zo voor mijn poezenpootjes!' doen ze het moeiteloos. De kat accepteert de realiteit geheel zoals hij is. Hoe meer ik hierover nadenk, hoe vaker ik me afvraag waarom we ons intellect in godsnaam hebben. Het lijkt mij in elk geval voornamelijk in de weg te zitten. Poezen. Dat moet ik even op mijn lijst '*wat maakt het leven de moeite waard*' schrijven die ik op de muur in de woonkamer annex winkel heb geschreven. Ik ben er vlak na mijn scheiding van Robbert mee begonnen. Kleine geheugensteuntjes voor op moeilijke momenten.

Wat maakt het leven de moeite waard?

Giraffen. Tussen kamgaren lakens slapen. Rozenthee.
Lobelia. Magnolia.
Tiramisu met een vleugje kaneel. Tropische varens. Kikkers in de nacht.
Vlinders. Wuivend gras. Lupine. Roze en blauw.
Een vulpen met een dikke punt die gemakkelijk over het papier glijdt.
Een fontein waar een regenboog overheen hangt.
Hollandse garnalen pellen. Risotto met appel en bloedworst.
Overgave.
Het geluid van de wind die door de bomen waait. Rozenbottelolie.
Stokrozen. De waterlelies van Monet.
Het origineel van **De kus** en de panda's Yang Yang en Long Hui in Wenen. **Sachertorte** in Wenen.
Gloomy sunday in de uitvoering van Peter Wolf.
Een glas Tignanello. Een rijpe perzik. Seringen.
Treurwilgen. Jasmijn. Velours.
Monte bianco. Kastanjepuree met slagroom. Bladerdeeg.
Buddha Amacha-thee. Verveine, vers uit de tuin. Kroonluchters.
Truffels. Frambozen.
Rijstpudding met rozenwater. Port.
Tuberoos, de bloem van de zinnelijkheid. Gardenia.
Iris.

Dat laatste heeft Rig er een paar maanden geleden op de dag dat we elkaar leerden kennen bij geschreven. 'Waarom staat jouw naam niet in die lijst?' vroeg hij.

'Omdat ik degene ben die het heeft geschreven. En ik heb het geschreven om me beter te voelen, niet omdat ik mezelf zo vreselijk de moeite waard vond.' Ik zei het in alle eerlijkheid en stelde me zonder erbij na te denken heel kwetsbaar op.

'Jij bent toch degene die het leven de moeite waard vindt, die observeert, constateert en jezelf het plezier verschaft van alles wat je hier opschrijft. Dan ben jij het toch bij uitstek die het leven de moeite waard maakt. Zonder jou geen ervaring; en hoe beter de ervaring, hoe beter jij het doet. Toch?'

De tranen schoten in mijn ogen toen hij dat zei. Ik probeerde ze weg te knipperen. Ik wist niet zeker of hij de waarheid sprak of dat hij maar wat zat te zwetsen. Ik werd altijd ontroerd door een man die iets mooi kon zeggen. Bloemrijke, gevoelige taal: daar ben ik gevoelig voor. Was hij een goede acteur of een oplichter? Toen pakte hij de stift die naast de tekst aan een touwtje hangt, vroeg: 'Mag ik?' en schreef mijn naam erbij. Het is het liefste wat een man ooit voor me heeft gedaan.

Ik snijd twee punten polentataart af die ik vanmorgen voor de lunch heb gemaakt.

Een taart met gelijke delen boter, suiker en amandelen. Moddervet, maar o zo lekker. Ik giet het water op de theeblaadjes, pak de twee kopjes en ruik eraan. De zoete geur van de thee doet me glimlachen. Ten strijde met een goed humeur. Hoe anders de vijand te bestrijden dan met een goed humeur.

3

EEN BLINDE VLEK TER GROOTTE VAN FLORIDA

Ik loop de serre in. Het is weer gaan regenen. Ik zie dat Sonja een sigaret heeft uitgedrukt in de blauwe hortensia die op het trappetje bij de tuindeur staat.

'Er staat een asbak op tafel,' zeg ik.

Ze kijkt op.

'Ik heb hem al uitgedrukt, ik weet toch dat je niet wil dat ik binnen rook.'

'Ik heb liever niet dat je je sigaretten in mijn hortensia uitdrukt.'

'Wat maakt dat nou uit. Het wordt compost. Een sigaret is een natuurlijk product.'

'Ik wil het gewoon niet hebben. Ik vind het een rot gezicht.'

Geïrriteerd staat ze op en pakt de peuk om hem in de asbak te gooien.

'Zo goed?'

'Ik heb er een stukje polentataart met amandelen en citroen bij gedaan.'

'Polenta? Een taart van polenta? Is dat lekker?'

'Probeer maar.'

Ze pakt het schoteltje van me aan en prikt in de taart, neemt een hap en kauwt even bedachtzaam.

'Lekker, heel lekker,' zegt ze. 'Dat kun je wel. Dat heb je van mama. Heb je in de gaten dat je steeds meer op mama begint te lijken?'

Sonja heeft de bijzondere eigenschap om precies de verkeerde knoppen in te drukken. Dat is een zeldzaam talent. Dat moet ik haar nageven.

'Heb je nog meer goed nieuws vandaag?'

'Nou zeg, alsof het zo erg is om op mama te lijken.'

'Dat is behoorlijk erg, Sonja. Sterker nog: ik ben al een leven lang bezig om vooral niet op mama te lijken.'

'Stel je niet aan.'

'Ik stel me niet aan. Als ik het nou zo voel, dan voel ik het zo. Mag het alsjeblieft?'

'O nou, ik wist niet dat je boos werd.'

Onuitstaanbaar, zo'n antwoord. Onuitstaanbaar.

'Je kunt toch goed koken.'

'Ja, ik kan goed koken,' zeg ik afgemeten.

En ik bak net als mijn moeder uitstekende taarten die ik met dezelfde nauwgezetheid vervaardig. Maar komt dat omdat ik op haar lijk of omdat ik een passie heb voor de goede dingen in het leven? Ik hoop dat het bij mij uit iets anders voortkomt dan bij mijn moeder, en daarom lijk ik niet op haar. Ik heb andere drijfveren. Dat hoop ik althans. Dat hoop ik met heel mijn hart. Maar misschien heb ik wel een blinde vlek ter grootte van Florida. Wie zal het zeggen?

'Hoe gaat het verder?' vraagt ze.

'Goed,' antwoord ik. Nu snel een wedervraag bedenken zodat ik verder niets hoef te vertellen, maar ze is me voor en vraagt: 'Hoe is het met je liefdesleven? Hoor je nog weleens wat van Robbert?' Een goed gemikte vraag. Ze heeft mijn tevredenheid geroken en dat vraagt om maatregelen. Natuurlijk vraagt ze naar Robbert. Robbert is mijn wond.

4

ROBBERT

Om acht uur in de ochtend werd het huwelijk tussen Robbert en mij voltrokken. Het was winter, het vroor en de bomen waren bedekt met een laagje ijs. We waren jonge dertigers en vonden onszelf modern en artistiek, van het type dat het instituut huwelijk afwijst, maar de bijbehorende status toch wel handig vindt. Tijdens onze huwelijksbrunch hadden we een bus neergezet waarin mensen tips kwijt konden voor het voorkomen van een scheiding. De meeste adviezen die we kregen waren nogal dwaas: doe de dop van de tandpasta er na het poetsen weer op. Nadat de gasten waren vertrokken, werd het stil in huis. 'Noem nou eens iets echt romantisch wat we zouden kunnen doen,' vroeg ik mijn kersverse eega. 'We kunnen een bad nemen,' opperde Robbert. Ik wilde niet in bad. 'We kunnen lunchen met gekoelde witte wijn en zalm,' zei hij. Ik kon geen zalm meer zien. De bruiloft was voorbij, de stilte verstikkend en ik kreeg een gevoel van teleurstelling dat optreedt wanneer iets waarnaar je lang hebt uitgekeken achter de rug is. Hoera, we zijn getrouwd. Wat nu? Ik besloot wat te wandelen en liep naar het stadscentrum waar ik mijn neus tegen het raam van de bakker drukte en een man deeg zag kneden dat zo zacht was als een babyhuidje. Daarna keek ik wat rond in een antiekwinkel. Uiteindelijk belandde ik bij de tattooshop. Om de een of andere reden besloot ik naar binnen te gaan. 'Hebt u ook semipermanente tatoeages?' vroeg ik de vrouw die mij te woord stond. 'Ja, van henna,' antwoordde ze. Ze vertelde over heel mooie, sprekende bruine Indiase bruiloftstatoeages die zes weken blijven zitten en liet me foto's zien van Indiase vrouwen met edelstenen in hun neus en allerlei krul- en vlechtmotieven op hun armen geschilderd – met henna. De schilderingen verwezen naar de complexiteit van het weefsel tussen twee mensen, met draden – banden – waarvan begin en eind moeilijk zijn te ontrafelen. Ik besloot er een te nemen. 'Waar?' vroeg ze. 'Hier,' zei ik, en ik legde mijn handen op mijn borsten en buik. De vrouw trok haar wenkbrauwen op. 'Prima,' zei ze.

Ik trok mijn blouse uit en ging op tafel liggen, terwijl ik haar achter in de zaak verf en poeders hoorde mengen. Ze keerde terug met een zwart flesje waarin een dieprood, glinsterend smeersel zat en vervolgens verfraaide ze me, veranderde ze mijn lichaam in een staak vol nieuwe gewassen, vol bladeren en bloemen. Als laatste schilderde ze, laag rond mijn heupen, een verfijnde kuisheidsgordel van aaneengeregen kettingen. Een uur later was de verf droog, kleedde ik me aan en ging ik naar huis, naar mijn bruidegom. Dit was mijn geschenk aan hem. Ik liet hem me uitkleden.

'Wow,' zei hij en hij deed een stap terug. Ik bloosde en daar gingen we. Al op mijn huwelijksdag besefte ik dat de kleirode kleur die de hartstocht met kronkelende lijnen op mijn lichaam verbeeldde zou vervagen tot er niets van over was.

Een jaar geleden is hij weggegaan. Hij liet niet van zich houden. Niet zoveel als dat ik van hem hield. Eigenlijk wilde hij een vrouw die niet van hem hield en bij wie hij zijn idee over zichzelf, namelijk dat hij niet veel waard was, in stand kon houden om vervolgens oorlog te kunnen voeren uit woede over dat idee. Hij was voortdurend in oorlog met zijn realiteit. Dat was mijn uiteindelijke analyse. Het besef dat er van hem gehouden werd kwam hem zo bespottelijk voor dat hij er alles aan deed om die liefde kapot te maken, waarna hij het weer tot leven kon wekken. Het was een verslavingsgevoelige man. Behalve aan drank en drugs was hij ook verslaafd aan drama, pijn en op een bepaalde manier aan mij. Na een ruzie lag hij aan mijn voeten en kuste de grond waarop ik liep. Hij verafgoodde me en hij vervloekte me. *And*

I returned the favour. We hielden elkaar gevangen in een wurggreep van liefde en haat, waarbij ik dacht dat de liefde altijd overwon en altijd sterker zou zijn. Ik wist dat hij van me hield en dat hij een man was die zijn pijn en verdriet op mij projecteerde en ik ging daar zo goed mogelijk mee om. Ik was door de jaren heen behendig geworden in het afweren van aanvallen en in het wegduiken voor rondvliegend serviesgoed. Omdat ik begreep dat hij niet mij wilde raken: hij wilde iets van zichzelf weggooien, hij moest iets kwijt, hij wilde ergens vanaf. Bij zijn nieuwe vriendin hoopte hij soelaas te vinden. Een kakelverse toekomst vol beloftes. Wij hadden geen beloftes meer. Wij hadden onze beloftes ingelost, wij wisten van elkaar wat we konden verwachten en vooral wat we niet konden verwachten. Vooral dat laatste kan desillusionerend, maar ook een opluchting zijn. Het geeft voldoende rust om het leven te omarmen precies zoals het is. Gelukkig ben je als je vrede hebt met de realiteit, precies zoals hij is. Maar hij kon de vrede niet aan. Hij wilde altijd beter, anders en verder. En dat projecteerde hij ook op mij. Met alle gevolgen van dien.

Natuurlijk had ik nadat hij me voor het eerst een klap had gegeven weg moeten gaan en had ik hem op straat moeten gooien als hij dronken, stijf van de coke en met bloed besmeurd van een vechtpartij thuiskwam. Ik bedacht excuses voor zijn gedrag. Hij kon er niets aan doen. Hij meende het niet zo. Ik zag in hem een huilend, eenzaam jongetje dat ik wilde redden. De waarheid is (de waarheid kruipt naar boven en dringt zich onverbiddelijk aan je op wanneer je twee weken in bed ligt, wanneer je jezelf afsluit voor prikkels van buitenaf en je alleen bent met jezelf, wanneer je ligt uit te zieken van je eigen leven, wanneer alles wat troebel maakt naar de bodem zakt en de gladde, rustige vijver je in zijn weerspiegeling laat zien wie je bent. Het is best interessant om jezelf zo van heel dichtbij te observeren. Blijkbaar is er iemand die voelt en iemand die observeert), de waarheid is: ik hield te veel van mijn rol in zijn leven. Mijn rol van verpleegster, van steun en toeverlaat, van verzorgster, van sterke vrouw achter de bijzondere man. Dat straalde ook op mij af. Het maakte mij ook bijzonder. Ik hield hem drijvend en daar was ik trots op, daar ontleende ik mijn eigenwaarde aan. Ik voelde me heel belangrijk en reuze geliefd als hij bij me wegkroop na een van zijn donkere, destructieve periodes en in mijn oor fluisterde dat ik het fijnste mens was dat hij kende. In tijden van oorlog was hij uiteindelijk ook mijn oase, de man die afhankelijk van mij was om het simpele feit dat geen enkele weldenkende vrouw het met hem uit zou houden. Het gaf mij een superieur gevoel. Mijn identiteit hing aan de woorden: 'Jij hebt mij nodig, dus ik besta.' Het is een wonder dat er nog geen filosoof is geweest die deze woorden heeft gedeponeerd.

Na een weekendje Parijs stapte ik uit de trein. Hij kwam me ophalen, aangeschoten met een sigaret in zijn hand. Hij was nerveus. Ik stond nog niet eens met twee voeten op het perron of hij had me al verteld dat hij niet meer van me hield. Hij was verliefd geworden op een ander. Ik stond met knikkende knieën op het perron. Ik mocht in het huis blijven wonen. Hij had gedurende het weekend dat ik weg was al zijn spullen weggehaald. Ik kwam thuis in een halfleeg huis. Alles wat hem dierbaar was had hij meegenomen. Ik keek door het raam naar de tuin. De Vlaamse gaai die altijd in de vijver badderde hield zijn kop scheef. Ik schreeuwde en hij vloog op. Ik viel flauw en werd ziek van verdriet. Ik heb twee weken in bed gelegen. Zonder te huilen, zonder te praten, met maar één wens: dat ik dood zou gaan. Ik heb nooit eerder zelfmoordneigingen gehad en ik was te ziek, lichamelijk en geestelijk te verzwakt om zelfs maar een echte poging te ondernemen, dus het bleef bij een wens. Het was misschien niet eens een wens om te sterven, meer een wens om niet langer te leven. Om niet verder te hoeven. Ik was op. Ik kon niet meer. Ik moest uitzieken. Uitzieken van het leven dat ik tot dan toe had gehad.

Ik besefte dat ik leefde onder het motto: 'Eens zal het perfecte komen.' Het was een meisjesboek dat ik als kind in de boekenkast van Sonja had zien staan. Compleet met getekend omslag in de traditie van Rie Cramer. Ik heb het nooit gelezen, maar ik was gefascineerd door de titel en de cover. Het omslag liet een vrouw zien die naar een man tuurde die in de verte in de touwen aan een berghelling hing en vrolijk zwaaide. Mooier is de emotioneel afwezige man nooit meer verbeeld.

Het accepteren van het leven precies zoals het is, maakt een einde aan het lijden, volgens het boeddhisme. Het was het proberen waard. Ik nam het ferme besluit mezelf en mijn leven te accepteren precies zoals het was en reciteerde in gedachten zo veel mogelijk de mantra 'het is goed zoals het is'. Dat zorgde voor rust en ontspanning. Opeens was ik daar waar ik niet weg hoefde. Ik was gelukkig waar ik was. En ik besloot voor mezelf te gaan doen wat ik jaren voor een ander had gedaan. Namelijk het vuur uit mijn sloffen lopen. Ik besloot het vuur uit mijn sloffen te gaan lopen voor mezelf. Jarenlang heb ik in tijden van uitgesteld geluk geleefd, in de hoop dat mijn man zou veranderen, in de hoop dat er een wonder zou gebeuren waardoor er van de ene op de andere dag een magische draai aan mijn leven zou worden gegeven en alles goed kwam. Ik heb een zwartleren armbandje omgedaan om mezelf eraan te herinneren dat ik mezelf de tijd zou geven om te rouwen en te herstellen. Ik heb een foto van hem uit onze verkeringstijd laten vergroten op posterformaat en aan de muur gehangen. Die foto heb ik gemaakt tijdens een weekend in Londen toen we net verliefd waren. Hij lag aan mijn voeten. Hij kuste de grond waarop ik liep. Op die foto heeft hij halflang haar en bakkebaarden. Hij kijkt in de lens zonder de lens te zien. Het was het moment nadat ik klikte dat hij zich realiseerde dat ik een foto had gemaakt. Zijn blik is dromerig maar ook vastbesloten, niet geplooid naar degene die de foto maakt, zijn gezicht is van zichzelf. Hij waant zich onbespied. Dan is hij op zijn mooist. Deze man was nooit gestopt met van mij te houden. Dit was de man die verliefd op mij werd en zich alles liet vertellen en in mij de muze vond die hij zocht. Deze man zou mij nooit hebben verlaten voor een andere vrouw, hij zag niemand anders. Hij zag alleen mij. Ik was zijn engel, zijn muze, zijn liefde, zijn vrouw. Naar die foto van 30 bij 40 kijken was troostrijk. Via die foto wandelde hij de kamer in, zoals ik me hem het liefst herinnerde en daarbij besefte ik ook dat die man al heel lang niet meer in mijn leven was. Alle ruzies waren bedoeld om die man terug te vinden. Maar alles gaat voorbij en dat is misschien wel de moeilijkste werkelijkheid van het leven.

En ja, ondanks het feit dat ik verliefd ben op iemand anders doet het nog steeds pijn als ik erover praat. En in de vraag 'Hoor je nog weleens wat van Robbert?' bespeur ik een ongevoeligheid naar mijn pijn die ik slecht verdraag.

5

SCHADENFREUDE

Ik zet een verbaasd gezicht op alsof ik al in geen maanden aan hem gedacht heb. Ik doe warrig, schud mijn hoofd en mompel iets onverstaanbaars waarbij ik met mijn schouders een onverschillige beweging maak en neem een slok thee en een hap van mijn taart. De cursus elementair toneel die ik op mijn drieëntwintigste heb gevolgd werpt nog weleens zijn vruchten af. Ook al heb ik meerdere malen gevraagd om niet over Robbert te beginnen, presteert ze het elke keer weer. Soms begint ze met: 'Ik weet dat ik er niet naar mag vragen, maar heb je nog wat van Robbert gehoord?' En ik weet dat ze het alleen maar vraagt omdat ze het antwoord weet. Ze vraagt naar de bekende weg en dat doet ze expres. Ze is niet geïnteresseerd in mijn met-een-kopje-thee-in-de-zon-momentje-van-geluk. Het is een soort geluk dat ze niet kent en waarmee ze ook geen kennis wil maken. Sonja is niet geïnteresseerd in datgene wat ze niet kent. Ze wil zichzelf in de ander zien. Dat is wat haar boeit. Hoe ongelukkiger ik ben, hoe liever ze voor me is, zo werkt dat nou eenmaal tussen ons. Sommige mensen zijn je beste vrienden als het slecht met je gaat. Het is een wonderlijk mechanisme, en dat is ook precies wat het is, een mechanisme, dus kan ik het haar niet kwalijk nemen. Ik weet dat ze haar best doet. Sonja wil in gesprek met mijn narigheid, zodat ze verkwikt en verfrist het huis kan verlaten en zeker weet dat haar leven zo rot nog niet is. Als ze dat gevoel heeft dat ze boven ligt, dan is het goed. Het is net als met een roddelblad, na het lezen voel je je beter omdat na al die narigheid jouw leven zo slecht nog niet is. *Schadenfreude* wordt het genoemd. Ik heb bijna niemand iets verteld over mijn nieuwe liefde. Dat leek me beter. Ik houd het in mijn handen zoals je een kwetsbaar kuikentje in je handen houdt. Ik wil het beschermen tegen de buitenwereld.

'Ik heb een nieuwe liefde,' zeg ik. Het is eruit voor ik er erg in heb. Ik kan er niets aan doen. Ik wil pronken met mijn nieuwe liefde. Ik wil het van de daken schreeuwen. En ik wil vooral dat ze ophoudt me vragen te stellen over Robbert en dit lijkt me een uitstekende manier.

'Wat zeg je me nou?'

'Ja, ik ben smoorverliefd.'

'Hoe lang al?'

'Een paar maanden.'

'Een paar maanden? En dat vertel je me nu pas?'

'Wanneer had ik je het moeten vertellen? Hoe vaak zie ik je nou?'

'Je had me toch kunnen bellen.'

Het laatste waar ik aan denk als ik een nieuwe liefde heb is mijn zus bellen. Maar dat ben ik. En ik ben niet helemaal normaal. Volgens mijn zus dan, wat meteen verklaart waarom ik haar niet bel. Zijn we daar ook uit.

'Waarom zou ik jou bellen? Alsof ik niet iets beters te doen heb als ik een nieuwe liefde heb.'

'Is het zo erg?'

'Het is heel erg. Ik ben nog nooit zo verliefd geweest. Sterker nog, ik denk dat ik nog nooit verliefd ben geweest en dat dit de eerste keer is.'

'Dat heb ik je weleens vaker horen zeggen.'

'Ik weet heel erg zeker dat ik dat nog nooit gezegd heb.'

'Ja hoor.'

'Nee hoor.'

Daar gaan we weer.

'Nou ja, wat doet het ertoe. Dus je bent Robbert vergeten.' Ze moet en ze zal over Robbert beginnen. Wat is dat toch?

'Ik wou dat je es een keertje ophield over Robbert. Robbert is verleden tijd.'

'Ik was dol op Robbert en ik had vreselijk met je te doen. Ik ben blij dat het nu beter gaat met je. Ik ben alleen maar geïnteresseerd, hoor.'

Je bent niet geïnteresseerd, je bent nieuwsgierig en je wilt in gesprek met mijn narigheid, dat is iets heel anders dan geïnteresseerd zijn in mijn geluk.

'Ja, maar Robbert is vertrokken en dolgelukkig op weg om vader te worden met zijn nieuwe vriendin. En ik ben heel gelukkig met een geweldige man.'

'Wááát? Wordt hij vader? En hij wilde nooit kinderen. Wat verschrikkelijk. Dan heb je dus het moederschap voor niets opgegeven.'

'Ik wilde net zomin kinderen als hij.'

'Je wilde geen kinderen omdat hij ze niet wilde, anders waren ze er natuurlijk wel gekomen.'

'Nee, Sonja, dat zie je verkeerd. Ik heb geen baringsdrift. Ik heb de bloedlijn willen stoppen.'

Het heeft mij altijd ontbroken aan elke wens om mezelf voort te planten. Dat is vermoedelijk een bewijs van mijn gekte of, laat ik het anders zeggen, het is vermoedelijk het bewijs van het bewustzijn van mijn gekte. Dat ik naar mijn familie heb gekeken en heb gedacht: hier stopt het, bij mij stopt het. God weet wat je doorgeeft, ik doe het niet. Laat ik mijn kinderen op voorhand in bescherming nemen en mezelf vooral niet voortplanten. Het was de enige controle die ik had in het leven, en die heb ik met twee handen aangegrepen. Dat is misschien de enige juiste beslissing in mijn leven geweest. Dat ik ervoor gezorgd heb dat het een ander niet kan overkomen. Reden waarom ik reeds op jonge leeftijd heb besloten kinderloos te blijven. Of kindervrij, zoals ik het liever noem. Ik kan nog zo hard roepen dat ik het anders zal doen, ik heb daar niet op durven vertrouwen.

'De bloedlijn?'

'Ik schaam me dood voor mijn genen. Ik ben veel te bang om van alles door te geven. Ik wil een kind niet opzadelen met mijn narigheid.'

'Wat is dat nou weer voor rare praat?'

En ik ben weer raar en niet normaal. Dat zal ook wel. Het zal wel raar en tegennatuurlijk zijn om geen kinderen te willen uit angst ze erfelijk te belasten met drankzucht, depressies en heel veel generaties lang doorgegeven verlammende angst voor het leven.

'Vind jij het leven zo'n enorm feest dan?'

'Ja, natuurlijk is het leven zwaar.'

'Waarom zou je het dan een ander aandoen?'

Ze kijkt me perplex aan.

'Maar je neemt juist kinderen om het leven leuk te maken.'

'Dat snap ik, maar ik vind dat te egoïstisch gedacht. Ik wil mijn kinderen beschermen tegen deze wereld en daarom laat ik ze lekker waar ze nu zijn. Kan ze ook niks overkomen.'

'Wanneer is hij uitgerekend?'

'Wat?'

'Robbert. Wanneer is hij uitgerekend? Zijn vriendin, bedoel ik, wanneer is ze uitgerekend? Ongelofelijk dat hij vader wordt. Maar ik moet zeggen, ik vind het wel vreselijk leuk voor hem.'

'Kunnen we ophouden over Robbert? Ik weet niet of het je is opgevallen, maar ik ben al een tijdje met een nieuwe toekomst bezig.'

'Maar ik vind het toch heel rot voor je, dat hij nu vader wordt, terwijl hij altijd zo stellig was dat hij geen kinderen wilde.'

'Kunnen we er nu over ophouden, vraag ik je toch?' Ik sla met mijn hand op de vensterbank. Nouba, die zich spinnend in het zonnetje heeft geposteerd, springt ervan af en vlucht de tuin in. Ik had nog zo geen ruzie willen maken, maar die kant gaat het nu toch wel heel erg op. Ik kan er niets aan doen. Ik sta op de automatische piloot en rijd voorgeprogrammeerd op de muur af die Sonja heet.

'Ik vertel je iets vrolijks. Ik heb het over een nieuwe liefde, weet je nog? Waarom moet jij altijd over iets anders beginnen? Waarom sla je altijd een zijweg in?'

Waarom houd ik niet gewoon mijn mond? Ik had me nog zo voorgenomen om niets te zeggen. En wat doe ik bij de eerste de beste gelegenheid? Leeglopen.

'O nou, ik wist niet dat je boos werd. Nou, vertel over je nieuwe liefde.'

Liever niet. De teerling is geworpen. *Who let the dogs out*? Waarom doe ik dit, terwijl ik me nog zo voorgenomen had niets te zeggen. Houd het voor jezelf. Anderen gaan er iets van vinden. Ze laten hun oordelen erop los en voor je het weet schuiven hun ideeën in mijn hoofd, nemen ze bezit van me en zullen ze me vergiftigen. Ik moet het niet in de buitenwereld loslaten, de roofdieren komen uit hun holen en zullen het willen verscheuren. Mensen houden niet van geluk.

'Hoe heet ie?'

'Rig.'

'Rick, leuke naam.'

'Nee, Rig, Er-Ie-Gee, met een zachte k. Rig, op z'n Engels.'

'Rig? Wat een gekke naam.'

Daar gaan we al. En dan heb ik nog niet eens verteld hoe oud hij is. Of liever gezegd, hoe jong hij is.

'Ja. Een heel gekke naam. Goed. Nog thee?'

'Wat is er nou?'

'Niks.'

'Heeft hij kinderen?'

'Nee.'

'Vertel nou es iets over hem.'

'Wat moet ik vertellen? Hij is mooi, hij is lief en hij is stapelgek op me. Meer valt er niet te vertellen.'

En hij is zestien jaar jonger dan ik, maar ik weet zeker dat ik dat niet ga zeggen. Misschien kom ik ermee weg om het verborgen te houden en hem een beeld te laten zijn dat Sonja zelf bedenkt en waarmee ze kan leven. Dan laat ze me met rust. Om maar niet te spreken van de rest van de familie.

'Wat doet ie voor werk?'

'Hij is milieuadviseur.'

'Ga weg.'

'Ja.'

'Iets heel anders dan Robbert.'

'Ja, gelukkig wel, ja.'

'Maar je was toch heel erg gek op Robbert?'

'Ja, maar niet zo heel vreselijk gelukkig.'

'Ach, in elk huwelijk gebeurt wel es wat.'

'Sonja.'

'Ja.'

'Niet doen.'

'Wat?'

'Over Robbert praten. Waarom stuur je het gesprek elke keer naar Robbert terwijl ik je al een paar keer heb gezegd dat ik het er niet over wil hebben? Ik wil er niet over praten, hoe vaak moet ik je dat nou nog zeggen?'

'O, sorry. Vertel dan ook es wat. Waar heb je je nieuwe vriend leren kennen?'

'Hier. In mijn winkel.'

Na mijn scheiding heb ik mijn baan opgezegd en ben ik mijn huis uit gaan baten. Alles wat hier staat kan gekocht worden, de lange tafel van Linteloo, een stoeltje van Philippe Starck, er staat een zwartleren bankje van Marcel Breuer, een ontwerp voor de Wereldtentoonstelling van 1930, en een prachtige eikenhouten stoel van Hovmand Olsen. Tussen de middag kan iedereen aanschuiven. Ik zet vers brood op tafel met een groot ronddraaiend dienblad waar verschillende soorten beleg op staan, hagelslag, appelstroop, verschillende soorten kaas en humus, met altijd een grote kom zelfgemaakte korianderpesto en elke dag twee taarten. Vandaar de polentataart die we op staan te peuzelen. Hij is niet opgegaan vandaag. Steeds vaker lever ik in opdracht. Ik ben hard op weg mijn eigen merk te worden in zelfgemaakte sauzen en taarten. In de zomer zet ik de hele tuin vol met brocante en organiseer ik feestjes.

'Ik heb hem hier leren kennen. Hij kwam binnen om te lunchen en toevallig was er verder niemand. We raakten aan de praat en het klikte. Het was een soort wonder. Binnen een uur stonden we te zoenen.'

Ik voel dat ik begin te stralen.

Ze knippert even met haar ogen.

'Goh.'

Zichtbaar onder de indruk neemt ze een hapje taart.

'Die taart is inderdaad heel lekker.'

'Ja, dat weet ik.'

Taarten troosten. Misschien moet ik er snel eentje voor haar maken zodat ze hem mee naar huis kan nemen.

'Zal ik er eentje voor je maken? Dan kun je hem mee naar huis nemen. Hij is zo klaar.'

Dan hoeven we ook niet meer te praten. Beter iets gaan doen. Misschien kunnen we samen een taart bakken. Bij wijze van bezigheidstherapie.

'Nee, doe maar niet. Dat eet ik allemaal maar op en daar word ik dik van. Op onze leeftijd moet je toch op gaan passen.'

Ik sta te bedenken wat ik nog over Rig kan vertellen zonder al te veel schade aan te richten. Ons seksleven? Beter niet over hebben. Zijn lichaam? Beter niet over hebben. Dat hij in een band zit, heel goed gitaar speelt en heel goed kan zingen? Beter niet over hebben. Dat hij al drie liedjes over me heeft geschreven? Dat hij een surfer is? Beter niet over hebben.

6

DE GIRAFFE IS HET ZOOGDIER MET HET GROOTSTE HART

Ze kijkt opzij naar het schilderij in wording dat op de schildersezel staat.

'Wat stelt het voor?' vraagt ze.

En we zijn weer een zijweg ingeslagen. Dat is het fijne van Sonja, ze bepaalt graag de koers van het gesprek en haar liefde voor narigheid weerhoudt mij er automatisch van om over mijn geluk te praten wat alleen maar voor wrijving zal zorgen. Praten over narigheid zorgt ook voor wrijving, maar dan vindt ze het niet erg, dan lijkt het logisch. Ik wil in blijdschap over mijn geluk praten en het delen, ik wil er een ander ook gelukkig mee maken, maar dat is onmogelijk. Dat is het vervelende van geluk. Het isoleert je van ongelukkige mensen en als die mensen toevallig familie zijn, dan heb je een probleem. Ik houd van Sonja. Ondanks alles houd ik van haar. Als ik haar in het dagelijks leven zou zijn tegengekomen is het te betwijfelen of we vriendinnen zouden zijn geworden. Maar omdat ik haar pijn ken, en weet wie ze is onder die pijn, houd ik van haar. Gedeelde smart is halve smart. Dat is de functie die ik heb in haar leven. Ik ben er, niet om vriendinnen te zijn, maar om de onuitgesproken narigheid te delen. Ik weet wie ze is, omdat ik weet waar ze vandaan komt. Maar ik wil afstand nemen van de pijn en zij trekt me terug. Daar hoeven we het niet over te hebben, daar kunnen we het niet over hebben, want ze is zich er niet van bewust. De pijn hangt altijd als iets onuitgesprokens tussen ons in. Sonja praat graag waar zij over wil praten, en gaat liever niet het gesprek aan dat ik wil voeren.

De eenzaamheid. De vreselijke eenzaamheid. Ik krijg er tranen van in mijn ogen. Het valt haar niet op. Ik wrijf in mijn ogen, haal mijn handen door mijn haar en ik wrijf over mijn rug.

Ze houdt haar gezicht scheef en kijkt misnoegd. Dat is misschien niet zo, maar zo vertaal ik het. De pijnlijke plek in mijn onderrug herinnert me eraan om haar met wantrouwen te bekijken. Het gaat vanzelf. De mens is een dier. Eenmaal geslagen, nooit meer bewogen. Het lichaam slaat alles op en vergeet nooit. Het lichaam zal nooit meer iemand vertrouwen die je lichamelijk pijn heeft gedaan. Het zal altijd, hoe miniem ook, in elkaar krimpen in aanwezigheid van de zweep. Zoals een paard gaat hardlopen wanneer het de zweep ziet. Het paard denkt niet, zijn lichaam reageert op de herinnering aan de pijn van de zweep. Het paard beweegt uit angst voor de pijn. Het wil weg van de pijn.

Sinds die keer dat ze met haar brommer opzettelijk door een diepe kuil reed terwijl ik achterop zat, ben ik op mijn hoede. Ik zeg opzettelijk, maar helemaal zeker weten doe ik het niet. Hoe oud zou ik geweest zijn? Zeven? Acht? Op dat moment heb ik vermoedelijk gedacht dat het een ongelukje was. Later in mijn leven waren er momenten dat ik de film van mijn leven onder een vergrootglas heb gelegd en aan me voorbij heb laten gaan om te kijken waar het mis is gegaan. Ik keek terug op een aantal voorvallen met andere, wijzere ogen, en toen begreep ik dat het opzettelijk moet zijn geweest. En wel hierom: zij reed comfortabel verend op het grote zadel van haar brommer met mij, haar kleine zusje, achterop en reed door een diepe kuil in de weg. Zij lichtte even haar kont op om de klap op te vangen, maar voor mij kwam de klap onverwacht. Er ging een scherpe pijn door mijn rug. Ik gilde het uit. Er was een ruggenwervel verschoven waar ik tot op de dag van vandaag last van heb. Als het per ongeluk zou zijn geweest, dan had ze wel een kreet geslaakt, of een sorry naar achteren geroepen en me even met haar linkerhand over mijn knie geaaid. Of zijdelings met haar haren in de wind gevraagd of alles goed was. Ik kan me geen joelend 'O sorry, heb je je pijn gedaan?' op die brommer herinneren. En ik heb een olifantengeheugen.

Bedenk goed wat je met je laatste Rolo doet, die commercial hadden ze met mij in de hoofdrol kunnen opnemen. Met Sonja die door een kuil rijdt. Alleen is mijn moment om haar met mijn slurf een klets in haar gezicht te geven nog niet gekomen. Het blijft toch je zus. Dat doe je niet met je zus. Dus is mijn stelling: Sonja wil me dood hebben. Onbewust natuurlijk. Zo simpel ligt dat volgens mij. Ze kan er niets aan doen, dat is de natuur. De biologie in de mens. Het dier in haar wil me dood hebben. Zoals mannetjesleeuwen hun welpen doodbijten omdat ze dan weer kunnen paren, zo voelt Sonja ook een instinctieve, onbewuste aandrang om me te doden. Ik ben de rivale, degene die haar positie in gevaar brengt binnen de roedel, degene die mee-eet uit de voederbak. En er is te weinig, er is te weinig voer, dus er moeten koppen rollen.

Ik heb ooit een stel giraffen gezamenlijk zien eten. Het was een prachtig schouwspel. De lange nekken die ruisend langs elkaar zweefden, die beurtelings een duik namen in de voederbak om de nek weer te strekken om de ander gelegenheid te geven een hapje te nemen. Gracieus en ruimhartig. 'Na jou.' 'Nee, jij eerst, ga gerust je gang.' 'Ach lieverd, toe maar, ik heb net een hapje genomen.' Zoiets. De giraffe is het zoogdier met het grootste hart. Misschien dat het daar iets mee te maken heeft. In ons gezin is er altijd en immer voldoende te eten, maar waar het ons aan ontbreekt is aandacht. En aandacht is liefde. Liefde is belangrijker dan eten.

Een baby die niet wordt aangeraakt gaat dood, ook al krijgt het te eten. Van gebrek aan liefde gaan mensen dood. Ik zag van de week op tv nog iemand vertellen over zijn ervaringen in het concentratiekamp, en hij vertelde dat mensen zonder vrienden en dus verstoken van menselijke warmte en liefde niet overleefden in het kamp. Zonder liefde geen leven. Maar liefde is niet meetbaar, het is niet wetenschappelijk aantoonbaar. Liefde is het vijfde element. In Wageningen worden er studies gedaan naar eten, maar niemand doet onderzoek naar liefde terwijl niemand zonder kan. Het is ons belangrijkste voedingsmiddel, maar er is geen Keuringsdienst van Waren die gezinnen langsgaat om te kijken hoe het met de liefde is gesteld, er wordt niets gemeten, er wordt nooit polsend de rug van een hand tegen een kinderwang aangeduwd om te voelen hoeveel liefde het dagelijks ontvangt en of dat voldoende is om het kind warm te houden, emotioneel gezond en warm.

Het schilderij staat nog in de grondverf. De contouren heb ik met doffe lijnen en grijze kleuren aangebracht om het beeld later in te kleuren zodat het diepte krijgt en rijkdom. Of – bij nader inzien – misschien moet ik het maar zo laten. Misschien stelt het in zijn dofheid precies voor wat het moet zijn.

'Wat moet het voorstellen?' vraagt ze weer.

'Dat zijn wij,' antwoord ik.

'Wij?'

'Dat zijn wij, ons gezin, ik ben deze foto aan het schilderen.'

Ik pak de foto die op het kozijn ligt en houd hem voor haar neus, die warempel een beetje bleek is weggetrokken.

Ik grinnik.

Op de foto zitten we met z'n allen aan tafel. Sonja kijkt boos, ik huil, en Boef, mijn broer, lacht. Mijn ouders ook, allebei met een glas in hun hand. Mijn vader kijkt recht in de lens en mijn moeder kijkt naar iets in de verte; niet haar kinderen trekken haar aandacht, niet haar man, niet de lens, maar ze kijkt vlak langs de lens naar iets anders in de ruimte. Mijn ouders lachen. Waarom zij lachen en wij niet, het is me een raadsel. Mijn ouders lijken zich schier onbewust van de emotionele chaos aan de tafel. Een chaos die wij destijds ook niet als chaos herkenden. Wij dachten dat de wereld zo was. Boef lacht, Sonja is boos en ik huil. Zo lagen de kaarten, zo was de wereld. Dat is de ellende als je kind bent, je hebt geen referentiekader, geen vergelijkingsmateriaal. Het gezin is je wereld en hoe idioot en chaotisch of onveilig die ook is, je ervaart hem als normaal en je verhoudt je ertoe. Ieder op zijn eigen manier. Hoe drie mensen aan dezelfde tafel er zulke uiteenlopende emoties op na kunnen houden is me een raadsel, maar de foto laat het zien. Ik ben er nog niet uit of ik het schilderij zal veranderen. Of ik ons mooier zal maken. Of ik er een vrolijk tafereel van zal maken, of dat ik de chaos zal laten zien zoals ik hem ervaar als ik naar de foto kijk. Het is de enige foto van ons gezin aan tafel, de enige foto waar we met z'n allen op staan. Waarom Boef lacht terwijl Sonja boos is en ik huil; ik zou het niet weten. Het is een mooi raadsel om te ontraadselen tijdens het schilderen van dit schilderij. Misschien is dat wat ik wil. Het raadsel uitknobbelen.

7

KOEIEN EN PELIKANEN

Sonja pakt de foto uit mijn hand.

'Ik ken deze foto niet.'

'Ik heb hem al jaren, het is de enige foto waar we allemaal op staan.'

'En dit wordt dat?' Ze kijkt een beetje vies van de foto naar het schilderij in wording. Het zou ook kunnen dat ze bang kijkt, maar dat is bij Sonja altijd lastig te zeggen. Vies, bang, verdrietig, ze heeft niet een enorm palet aan expressie. Ze trekt haar neus een beetje op of haar mondhoeken naar beneden, dan heb je het wel gehad aan expressie. Daar moet je alles in zien te lezen. Best een klus, maar al doende leert men.

'Ja, ik ben die foto aan het schilderen, ja.'

'Waarom?' Ze kijkt me oprecht verbaasd aan.

'Papa wordt vijfenzeventig,' zeg ik.

Ze blijft me aankijken. 'Dat weet ik.'

'Ik maak dit voor zijn verjaardag.'

Ze bijt kort op haar onderlip.

Ze is bang dat het mooier is dan het cadeau dat zij zal geven.
Het is altijd vechten om aandacht bij ons thuis.

'Ik dacht dat jij alleen pelikanen schilderde.'

'Wat is dat nou voor domme opmerking. Bedoel je daarmee te zeggen dat je denkt dat ik alleen pelikanen kán schilderen of dat mijn verbeeldingskracht niet verder reikt dan pelikanen? Ik hou van pelikanen, het zijn prachtige beesten, wat is daarop tegen?'

'Daar is niks op tegen natuurlijk. Hè, waarom voel je je toch altijd meteen aangevallen? Ik zie altijd schilderijen met pelikanen van jou.'

'Die doen het goed, daar verkoop ik er het meest van.'

Via een website verkoop ik wel es het een en ander.

'De pelikaan staat symbool voor de ware liefde. Daarom hou ik ervan om pelikanen te schilderen.'

'Hoezo staat de pelikaan symbool voor de ware liefde?'

'Weet ik veel, ik weet alleen dat het zo is. Het zal wel uit een of ander mythisch verhaal komen. Ik vind het een mooie gedachte. Hou je in het leven vooral bezig met je favoriete onderwerp, is mijn devies. Trouwens, ik schilder ook vaak koeien.'

'Is me nog nooit opgevallen.'

'Je hebt je ook nooit in mijn werk verdiept.'

'Ik dacht dat het een hobby was.'

'En daarom zou je je er niet in hoeven verdiepen?'

'Pfff, doe toch niet altijd zo geïrriteerd.'

'Dan moet je mij niet irriteren. Zeg es iets aardigs.'

'Ik zeg iets aardigs.'

'Dat zal wel, ja. Je zegt iets aardigs, het komt alleen nogal rottig je strot uit.'

Ik grinnik omdat ik moet denken aan de sketch van Wim Sonneveld waar dit grapje op is gebaseerd. Maar Sonja lacht niet. Dat is waar ook. Geen gevoel voor humor. Geen zelfspot. De ellende is dat mensen zonder zelfspot niet te harden zijn, juist omdat ze geen zelfspot hebben. Je kunt dus ook geen grapje maken over de afwezigheid van zelfspot, want alles is een aanval, een belediging en alles doet pijn. Met een grapje de angel uit de situatie halen zorgt niet voor de nodige ontspanning, omdat de betrokkene geen gevoel voor humor heeft. Het is een zichzelf in stand houdend probleem. Onoplosbaar. Een belangrijk referentiekader bij het uitkiezen van de vriendenkring is of ze de juiste grappen kennen. Gevoel voor humor is onontbeerlijk om de ondraaglijke lichtheid van het bestaan te vinden, maar helaas, het is niet aan Sonja besteed. Het is mijn zus, ik houd van haar, maar God had

haar toch wel een vléúgje humor mogen geven, dat had het er zo'n stuk leuker en vooral zo'n stuk gemakkelijker op gemaakt.
'Gebbetje,' verduidelijk ik. Maar het mag niet baten.
Ze steekt nog een sigaret op en gaat bij de deur staan.
'Roken is slecht voor je huid,' zeg ik.
'Ik heb frisse lucht nodig.'
'En dan steek je een sigaret op?'
'Het is menthol.'
'Geef mij er ook maar een.'
De vredespijp, in godsnaam.
Ze houdt een pakje Marlboro menthol voor mijn neus, ik peuter er een uit, ze geeft me een vuurtje.
'Goh. Een schilderij van een soort laatste avondmaal?' zegt ze en ze neemt een haal van haar sigaret.
'Nou, ik zou mezelf niet willen vergelijken met Michelangelo, maar bedankt voor het compliment.' Ik denk aan de sketch van Monty Python waar Michelangelo, gespeeld door Eric Idle met plat Cockney-accent, voor de paus moet verschijnen om zich te verantwoorden voor het grote aantal alligators dat hij in *Het laatste avondmaal* heeft geschilderd. Hij krijgt een reprimande en de opdracht om het schilderij over te schilderen met maar één Jezus Christus. '*Only one?*' is zijn verontwaardigde, tevens meesterlijke repliek.
'*Only one?*' zeg ik met mijn beste Cockney-accent, maar hij komt niet aan. Sonja kent ook deze grap niet. Sonja, zo heette trouwens ook de hond van mijn oma. Onze oma. Zou ze vernoemd zijn naar de poedel van oma? Zeg, ben jij eigenlijk vernoemd naar de poedel van oma? Zal ik het es vragen?
'Wat is er eigenlijk ooit met die poedel van oma gebeurd?'
'Welke poedel?'
Vernoemd naar de poedel dus. *Case closed.* Typisch geval van verdringing.
'Zal hij blij mee zijn.' Ze gaat iets dichter bij het schilderij staan om haar eigen gezicht in wording te bestuderen. 'Het lijkt niet erg, hè?'
'Nou, misschien maak ik er alsnog vijf koeien van. Kan ook.

Misschien besluit ik op het laatste moment over te stappen op magisch realisme en worden het vijf pelikanen aan een laatste avondmaal. En ik kan hem natuurlijk ook altijd nog een flesje Old Spice geven.'

'Old Spice?'

'Old Spice. Aftershave. Dat gaven wij papa vroeger altijd voor zijn verjaardag.'

'Maar hij had toch nooit Old Spice op?'

'Nee, dat weet ik wel, maar omdat Old Spice zo vies is en vooral al zo lang bestaat en als het ware symbool staat voor alle aftershaves ooit gemaakt. Laat maar, het was een grapje.'

'En hoe denk je dat schilderij naar Italië te krijgen?'

'Hoe bedoel je?'

'Papa wordt vijfenzeventig.'

'Dat weet ik. Dat zeg ik net.'

'We willen iets speciaals doen.'

We? Ik weet van niets. 'We' is blijkbaar een eenheid waar ik niet bij hoor.

'We gaan met z'n allen naar Italië.'

8

DE BRENNERPAS

Zoals ze het zegt, krijg ik een beeld van gezellig '*en we gaan nog niet naar huis, nog lange niet, nog lange niet*' zingend op de achterbank terwijl we over de Brennerpas scheuren, jolijt, boterhammen smeren in de berm met een percolatortje op een Campingaz-primusje, met z'n allen, want met z'n allen is het leuk. En weet je, het ís niet leuk met z'n allen. Niks geen jolijt al scheurend over de Brennerpas. Het is opzitten en pootjes geven. Het is Sonja boos, ik huil, Boef lacht, waarschijnlijk omdat ik huil en omdat Sonja boos is en mijn ouders lachen om redenen waar wij de lol niet van kunnen inzien.

'We gaan met z'n allen naar Italië? Wie heeft dat bedacht?'

'Mama natuurlijk.'

'Waarom? Waarom moeten we met z'n allen naar Italië?'

'Dat is toch hartstikke leuk.'

'Daar heb ik helemaal geen zin in en dat weet je heel goed.'

'Papa wordt vijfenzeventig.'

'Ja, maar waarom moet dat in Italië gevierd worden? Waarom niet gewoon hier? Dan gaan we uit eten met z'n allen, we zetten ons gezicht op blij en we kunnen na een paar uurtjes weer naar huis.'

'Het leek ons een mooi cadeau voor papa als we een paar dagen bij elkaar zijn, net als vroeger.'

Net als vroeger? Wat was er zo leuk aan vroeger wat herhaald moet worden? Mankeert er iets aan haar geheugen? Het is niet leuk, waarom valt mij dat wel op en haar niet?

'Het is dus jouw idee.'

'Mama kwam ermee.'

'En het is echt niet jouw idee?'

Over het algemeen heeft mijn moeder niet zoveel ideeën. De meeste ideeën die mijn moeder heeft zijn er keurig ingeplant door Sonja. Subtiel, terloops, nonchalant. Sonja is een gewiekste manipulator. Waarschijnlijk is het ongeveer zo gegaan: korte tijd nadat Sonja tijdens het uitruimen van de vaatwasmachine heeft gezegd dat ze al zo'n tijd niet in Italië is geweest en dat ze zich al een tijd loopt af te vragen wat een leuk cadeau zou kunnen zijn voor papa, en dat het toch echt heel jammer is dat ze al zo lang niet meer naar het huis in Italië zijn geweest en dat ze zojuist op de verhuurkalender van het huis zag dat het huis nog vrij is omdat het door de economische crisis niet zo goed gaat met de verhuur, heeft mijn moeder even later plots een lumineus idee: 'Zullen we met het hele gezin naar Italië gaan en daar papa's verjaardag vieren?'

'Wat maakt het uit wiens idee het was? We gaan papa's verjaardag in Italië vieren, punt uit. En als je niet mee wil, dan ga je niet mee. Maar papa zal dat heel erg vinden, dat weet je.'

En of ik dat weet.

'Bovendien ben je er dan es uit.'

'Hoe bedoel je, dan ben ik er es uit?'

'Je loopt hier maar te sappelen, ik kan me voorstellen dat je wel es toe bent aan een vakantie.'

'Ik heb een reuze leuk lopend bedrijf, hoor,' zeg ik bits.

Het is een kleine onderneming, maar het loopt als een tierelier. Ik verdien er nog niet zoveel mee, maar ik heb het leuk en dat vind ik belangrijker. Mijn familie zit echter anders in elkaar.

'Ik kan mijn winkel niet alleen laten.'

Mijn winkel is mijn excuus.

'Papa heeft al aangeboden om eventuele inkomstenderving te compenseren.'

Aan alles is gedacht. Het is een complot. Ik zweer het je.

‘Gaat Boef ook mee?’
‘Ik geloof het wel.’
‘Neemt hij iemand mee?’
‘Ik heb geen idee, ik hou het liefdesleven van Boef niet bij. Ik heb iets gehoord over ene Rosalie. Nou, ga je mee of niet? Wat sta je nou te mokken?’

En dat moet ik uitleggen?

9

IK REAGEER HELEMAAL NIET EMOTIONEEL

Opeens klaart haar gezicht op en ze zegt: 'Waarom neem je die nieuwe vlam niet mee?'

Wat een lumineus idee.

'Nou, dat dacht ik niet.'

'Het is toch je grote nieuwe liefde.'

'Ja, juist daarom.'

'Wat is dat nou voor geks. Doe toch es normaal, Iris, waarom kun je nooit es normaal doen? Doe toch es net als andere mensen normaal.'

'Omdat ik niet normaal ben, dat zeg jij tenminste altijd.'

Ik ben anders dan Sonja en dat impliceert automatisch dat ik niet normaal ben, zo werkt dat in haar hoofd. Het zou namelijk evengoed andersom kunnen zijn, het is maar net vanuit welk perspectief je de zaak bekijkt. Normaal is subjectief, maar niet in het hoofd van Sonja.

'Ik vind het een fantastisch idee. Dan kan de rest van de familie hem meteen leren kennen. Papa zal het ook leuk vinden als er weer een man bij is met wie hij gezellig kan kletsen.'

Gezellig kletsen? Dat noem jij gezellig kletsen?

'Je zult hem er een enorm plezier mee doen, dat weet ik zeker.'

Ik ben daar niet zo zeker van.

‘Het is toch serieus?’

‘Weet ik veel, daar hebben we het nog niet over gehad.’

Het zweet breekt me uit. Is het serieus? Dat is precies waar we het nooit over hebben, over hoe serieus het is.

‘Niet?’

‘Nee, niet. We leven bij de dag. We kiezen voor kort geluk.’

‘Wat is dat nou weer voor raars?’

‘Wil je dat ik het uitleg? Wil je echt dat ik het uitleg? En beloof je dan te luisteren en alleen maar dat?’

‘Maar ik luister toch. Ik luister de hele tijd naar je.’

‘We geloven dat het niet goed is wanneer je je te veel met de toekomst bezighoudt. Dat je alleen kunt zorgen voor de toekomst door te doen wat nu goed is. Je kunt het leven niet controleren en je kunt rampspoed niet voor zijn. We weten niet hoe het ons persoonlijk zal vergaan en hoe zich dat zal verhouden tot onze relatie. Het leven zit vol verrassingen en complicaties. Ik weet uit ervaring dat ik me daar snel te veel zorgen over zal maken. En Rig houdt me bij de les. Kiezen voor kort geluk, en als je dat elke dag doet, kom je een heel end, is zijn devies. We proberen in het nu te leven, niet aan de toekomst te denken en elke dag voor elkaar te kiezen zonder te denken aan lang en gelukkig. Daar varen we wel bij. Het is fantastisch.’

‘Hoe kun je nou serieus zijn als je bij de dag leeft? Je moet toch toekomstplannen maken?’

Als ik denk dat onze liefde voor altijd moet zijn, dan word ik bang om de geliefde te verliezen en ga ik me vastklampen en dat is de dood voor de liefde. Het besef van altijd heeft als keerzijde het besef van de eindigheid, de wetenschap dat je de ander zult verliezen, op wat voor manier dan ook. En dat is een wetenschap waar ik slecht mee kan leven. In mijn huwelijk met Robbert speelde de angst om de ander te verliezen altijd een rol en ik werd er gek van. Ik werd net zo gek van zijn angst als van de mijne. En een grote liefde brengt onverbiddelijk je grootste angst met zich mee. En daarom houd ik de horizon kort. Als het alleen morgen goed moet zijn, kan ik het overzien. Meer kan ik niet aan. Dan verschijnen er beren op de weg.

‘Heeft hij al iets gezegd?’
‘Wat zou hij gezegd moeten hebben?’
‘Dat hij van je houdt.’
Moet dat? Is dat een vereist protocol? Stelt het niks voor als hij dat niet heeft gedaan? Ik denk dat ik voor het eerst van mijn leven een gezonde relatie heb door vooral weinig waarde te hechten aan mentale begrippen als woorden en tijd. Maar daar denkt mijn zus heel anders over.
‘Nja, dat heeft hij al gezegd,’ lieg ik. Hij heeft van alles gezegd, maar ‘ik hou van je’ zit er niet bij.
‘Ik wil alleen maar zeggen dat hij van harte is uitgenodigd. Als het serieus is tussen jullie, dan moet je hem meenemen. Dan leert hij meteen de familie kennen.’
Dat hij de familie leert kennen is wel het laatste wat ik wil.
‘Ik zal het aan hem vragen.’
‘En je gaat papa dat schilderij geven? Hoe denk je dat mee te krijgen?’
‘Kun je nou echt alleen in problemen denken? Ik vouw het wel op. Nou goed?’
‘Doe toch niet zo gepikeerd.’
‘Ik doe niet gepikeerd.’
Ik zie een Peter van Straaten-prentje voor me: ‘Ik reageer helemaal niet emotioneel,’ zei de rood aangelopen man die op het punt staat zich van de trap te gooien.
Ik hoor iemand binnenkomen. Een verdwaalde klant.
‘We hebben het er nog over. Ik moet aan het werk.’
‘*Hello ladies*,’ klinkt de stem van Rig.
Hij stapt de serre binnen. Ik krijg een kleur tot achter mijn oren, zo blij ben ik om hem te zien. Hij heeft blond haar met slag erin, helblauwe ogen en op zijn wang heeft hij een dun, kaarsrecht litteken. In het prikkeldraad blijven hangen toen hij vijf jaar oud was en in de verte een pony zag staan waar hij op wilde rijden. Net onder het litteken heeft hij een klein moedervlekje waardoor het lijkt of er een uitroeptekentje op zijn wang staat. Zijn lichaam is bezaaid met littekens en aan elk litteken hangt een verhaal dat iets vertelt over de wildebras die hij is geweest als kind. Hij draagt

een ringetje in zijn oor en zijn linkerarm is bedekt met Maori-tatoeages die hij tijdens een verblijf in Australië heeft laten zetten. Zijn overhemd gunt Sonja een blik op zijn blonde borsthaar. Hij heeft zich vanmorgen niet geschoren en op zijn wangen ligt een zweem van baardgroei.

Hij grijnst.

Haar mond zakt een klein beetje open.

'Staan jullie lekker te keuvelen in het zonnetje?'

Zonnetje ja, keuvelen nee.

'Dag schatje.' Hij loopt op me af en geeft me een kus.

'Dit is zeker je zusje? Dat kun je wel zien. Nog zo'n schoonheid. Hallo, ik ben Rig.'

Hij schudt haar de hand.

'Sonja van Bemmel-Hartemink,' antwoordt Sonja en ik hoor een lichte aarzeling in haar stem waarvan ik niet weet waar die vandaan komt. Ik geloof niet dat ik haar ooit verlegen heb gezien, maar nu lijkt het er toch verdomd veel op.

'Wat leuk om je te leren kennen,' zegt Rig vrolijk. 'Ik heb al veel over je gehoord.'

'Niets dan goeds neem ik aan,' antwoordt Sonja.

'Uiteraard,' lacht hij. 'Ik heb net gesport en ik rammel van de honger, ik maak even een boterham. Ik ben zo terug.' Hij beent de serre uit. Nouba komt de tuin uit rennen en holt achter hem aan de keuken in.

Ik hoor hem tegen Nouba babbelen.

'Hé binkie, wat kom je doen? Bedelen? Zal ik es kijken of er iets voor jou in de koelkast ligt?'

'Er is nog wat rosbief,' roep ik. 'Nou, dat was dus Rig,' zeg ik tegen Sonja.

'Ja,' zegt ze.

'En? Ben je nog steeds van mening dat ik hem moet meenemen naar Italië?'

'Iris, dat hou je niet uit. Dat kan toch niks worden.'

'Ik weet niet of het je is opgevallen, maar het is al wat.'

'Hij is veel te jong.'

'Wij voelen dat niet zo. We voelen het leeftijdsverschil niet. Hij is oud voor zijn leeftijd en ik ben jong voor mijn leeftijd, dus we komen elkaar ergens halverwege tegen.'

'Wil er iemand een boterham met kaas?' roept Rig vanuit de keuken.

Sonja schudt haar hoofd.

'Nee, dank je,' roep ik. 'Het is een schat, gewoon een lieverd. Hij zegt dat de man verantwoordelijk is voor het welzijn van de vrouw. Dat is andere koek dan de patriarchale cultuur van Robbert. Ik weet niet wat me overkomt.'

Ze friemelt aan haar pakje sigaretten en steekt er nog een op.

Dan zegt ze: 'Ik ben blij voor je' en ze aait even over mijn arm.

'Dank je.'

'Het is een groot talent van mij om binnen te vallen op het verkeerde moment. Volgens mij moet ik jullie even alleen laten,' zegt Rig die om het hoekje kijkt.

'Nee, ben je gek, helemaal niet,' zegt Sonja. 'Ik wilde juist vragen of je mee wilt gaan naar de verjaardag van mijn vader. Die wordt volgend weekend vijfenzeventig en dat vieren we in ons huis in Italië. En jullie zijn van harte uitgenodigd. Ik had het er net over met Iris.'

Ik kijk haar met grote ogen aan.

'Ik heb gezegd dat we erover na zullen denken,' zeg ik snel.

'Ik hoef er niet over na te denken, hoor. Leuk,' zegt hij. 'Te gek.'

'Mooi. Hartstikke goed,' zegt Sonja. 'Dat zullen mijn ouders heel erg op prijs stellen.'

10

RIG

Hij glipte mijn leven binnen. Ik kan het niet anders verwoorden. Hij keek me aan. Het was een van die zeldzame momenten dat het lijkt alsof de wereld even stilstaat. In een film zou de scène zich in slow motion hebben afgespeeld met weggedraaid geluid. Van een afstandje moet het eruit hebben gezien als baltsgedrag. Het was alsof hij de afstand tussen hem en mij wilde inschatten voor hij me zou bespringen. Als een grote blonde kater, wiebelend op zijn achterpoten, inschattend wat zijn kansen waren. Ik haalde mijn handen over mijn heupen en smeerde wat boter op mijn jurk. Ik was vergeten dat ik geen schort meer aanhad. Het was stil in mijn hoofd, iets wat niet heel vaak voorkomt. Hij zat even aan het boord van zijn shirt en voelde aan het bovenste knoopje. Ik trok mijn topje recht en ademde diep in. Toen deed hij een stap in mijn richting. Hij legde een arm om mijn middel en drukte me tegen zich aan. Hij mompelde: 'Dit wil ik al doen vanaf het moment dat ik je zag,' en gaf me een kus. En ik kuste terug. Alsof het de normaalste zaak van de wereld was. Een kus binnen het uur. Er gaat niks boven een alles verslindende monogame liefde. Er gaat niks boven een man bij wie je al gaat huilen als hij je gezicht tussen zijn handen neemt en je lippen kust. Het is een man die mij met zijn vingertoppen en met zijn blik laat huiveren. Dat zinnelijkheid zich zo elegant met liefde laat mengen tot iets wat de eeuwigheid lijkt te willen trotseren, verbaast me elke dag opnieuw. Als ik me na mijn scheiding niet had voorgenomen om een tijdje precies te doen waar ik zin in had, als ik me niet had voorgenomen om te gaan leven alsof dit het laatste jaar van mijn leven was wat me met een levenshonger en levenslust vervulde en waardoor ik elke mooie ervaring omarmde alsof mijn leven ervan afhing, als ik niet de schoonheid van het leven probeerde te herontdekken, als ik niet doodmoe was geweest maar op een vreemde manier ook opgewonden om helemaal opnieuw te beginnen zonder een cent op zak, als ik niet gelukkig was geweest zonder aanwijsbare reden, zou ik dan ook zo'n ontwrichtende kracht als Rig Martens in mijn leven hebben gehaald? Waarschijnlijk niet.

Hij kwam de winkel binnen en instinctief stak ik mijn hand uit. Het gekke was dat ik me niet voorstelde, we schudden elkaar alleen de hand. Onze lichamen stelden zich aan elkaar voor. Het was alsof onze zielen elkaar al heel lang kenden en er geen behoefte was aan woorden, alleen aan lijfelijk contact. Het viel me op dat we dezelfde neus, recht en spits, en dezelfde kleine vierkante tanden hadden. En er viel me nog iets op. Hij was te jong, te knap en *out of my league*.

Het was onmogelijk om zijn leeftijd in te schatten. Het ene moment zag ik een ondeugend jongetje en het volgende moment een wijze oude man. Hij kon vijfentwintig zijn, maar ook een goed geconserveerde veertiger. Ik vroeg hoe oud hij was.

'Eenendertig,' zei hij. Om er meteen achteraan te zeggen: 'Ben ik nu gediskwalificeerd?'

'Waarvoor?' vroeg ik.

'Om je vriend te zijn,' zei hij ernstig. Hij ging recht op zijn doel af. Helder en duidelijk. Ik keek hem in de ogen en ik wist dat hij het meende. Het waren ogen die mij wilden, en geen spel speelden.

'Dan zul je toch eerst moeten weten hoe oud ik ben,' zei ik.

'Vertel op.'

'Ik ben zevenenveertig.'

Ik zei het klip-en-klaar. Erop vertrouwend dat het voldoende zou moeten zijn om hem de deur uit te laten rennen. Ik wilde er bijna achteraan zeggen: 'Over drie jaar vijftig dus.' Je kunt de waarheid niet hard genoeg brengen. Ik wilde hem voor een teleurstelling behoeden. Nee, gelul, ik wilde mezelf voor een teleurstelling behoeden. Ik ben bijna vijftig, wilde ik roepen, dan weet je dat. Víjftig!

Onbekommerd haalde hij zijn schouders op. 'Ik vind het best, het maakt me niet uit.' Hij leek oprecht niet geïnteresseerd in hoe oud ik was.

'Ik vind je geweldig en je ziet er fantastisch uit. Het maakt me niet uit hoe oud je bent. Leeftijd is een getal.'

Nu kan ik met zekerheid zeggen dat leeftijd meer is dan een getal, maar hij won ter plekke mijn hart.

Ik ben vervuld van deze liefde. Het was liefde en lust op het eerste gezicht. Maar misschien meer nog dan het leeftijdsverschil joeg de gedachte aan een man en de eventuele bijkomende problemen in de eventuele toekomst me enorm veel angst aan. Ik vond hem knap en aantrekkelijk. Daar kon niets goeds van komen. Ik besloot dat ik niet met hem naar bed zou gaan, hoe aantrekkelijk hij ook mocht zijn. Hij was ongetwijfeld een van de charmantste mensen die ik ooit had ontmoet. Hij kon vogels uit bomen charmeren, snoep uit de handen van kleuters, geld uit de handen van vrekken. Ik was vastbesloten me niet het bed in te laten charmeren. Ik had geen zin in een onenightstand en ik zag geen toekomst in deze jongeman. Ondanks het feit dat hij me eindeloos ontroerde. Ik voelde me verwant met hem door zijn openhartigheid en overgevoeligheid. Maar ik had geen enkele behoefte om me in een avontuur te storten met een zekere toekomst, namelijk dat mijn hart gebroken zou worden. *Not, not, not, not again.* Geen problematische mannen meer en zeker geen innemende jongemannen wier hart 'als was is als je het ontvangt en als marmer als je het wilt houden', zoals Byron zei. Misschien voelde ik wat een macht hij over me zou kunnen krijgen. Als een vrouw zich echt aangetrokken voelt tot een man, besluit ze soms juist daarom de benen te nemen. Maar ik ben bij hem van de ene verbazing in de andere gevallen door zijn gevoeligheid, zijn intelligentie, zijn smaak, zijn seks, zijn innerlijke beschaafdheid en vooral zijn liefde voor mij. Er is een kosmische connectie tussen ons. Ik kan het niet uitleggen. Dat voel ik alleen maar. Er brandt een warmtebronnetje van vijf centimeter onder mijn navel. Mijn chi staat in brand. We zijn met elkaar verbonden. Voor het eerst in mijn leven voel ik me niet alleen. Ik liet hem mijn lievelingsmuziek horen, omdat er in mijn hoofd altijd muziek speelt. Ik zag hoe hij luisterde naar de ijle stem van Antony die samen met Lou Reed *Candy Says* zingt. Antony heeft een stem als geen ander, zo op de toppen van zijn zenuwen, zo breekbaar. En dan die rare kop en dat viezige haar. *What do you think I'd see if I could walk away from me.* Ik zag een traan over zijn wang biggelen. Een dikke traan, zonder geluid. Natuurlijk had ik net zoveel van hem gehouden als hij er niets aan had gevonden. Daar op die bank, met die biggelende traan en de kraaiende Antony, leek het alsof ik de onrust voorgoed voorbij was. Voor het eerst was ik daar waar ik echt wilde zijn. Het was thuiskomen. Voor het eerst thuiskomen.

Het is donker in huis. Papa heeft de elektriciteit afgesloten door de stoppen eruit te halen. Dat doet hij wel vaker als hij boos is op mama. Dan hebben we geen warm water om te douchen. Boef weet waar papa de stoppen bewaart en stopt ze terug zodat de boiler kan opwarmen en we warm kunnen douchen. Maar hij vergeet ze weleens terug te leggen. Als papa thuiskomt en licht ziet branden, dan zwaait er wat. Net als wanneer papa mama op het terras bij de buurman ziet zitten. Dan zwaait er ook wat. Ik hoorde haar hard lachen. Met scherpe boventonen. Woedend sleepte hij haar aan haar haren over het pad terug naar huis. 'Ik zit alleen thee te drinken,' gilde ze. Dat was niet waar, want ik had gezien dat ze een groen drankje zat te drinken. Een felgroen drankje. Ik dacht dat het gif was waarmee Catwoman het op de buurman had gemunt om zijn goud uit de kelder te stelen. Daar moesten Batman en Robin een stokje voor steken.

11

MISSION IMPOSSIBLE

'Gaat het?'

Rig geeft me een kneepje in mijn hand.

Ik doe mijn ogen even dicht en knik geruststellend ja. Het vliegtuig trekt op. We worden in onze stoel gedrukt. Ik heb hem verteld dat ik last heb van vliegangst en dat ik daarom een beetje gespannen ben. Als ik vertel wat er werkelijk aan de hand is, dan zal hij erover willen praten en dan moeten er grote stenen, zware menhirs, verplaatst worden die de krochten van mijn ziel afsluiten. Diepe krochten waar het licht aangedaan zal moeten worden. Dat is net zo erg als mijn familie onder ogen komen. Het is hetzelfde, vrees ik.

'Ja, het gaat.' Maar daar is dan ook alles mee gezegd. Doe ik hier goed aan? Ik doe er goed aan. Ik besluit dat ik er goed aan doe. Ik zal toch een keer met mijn geliefde mijn familie onder ogen moeten komen. Toch? Ik moet de angst trotseren dat hij niet gillend weg zal rennen wanneer hij ze ontmoet en hij opeens alle narigheid van mijn familie weerspiegeld ziet in mij. Mijn moeder met een mond die een beetje zurig naar beneden wordt getrokken, omdat haar lachspieren te weinig worden getraind. Mijn moeder lacht niet graag. Geen idee waarom niet. Lachen is na seks en eten het leukste wat er is. Wat wil een mens nog meer dan eten, neuken, lachen en slapen. In willekeurige volgorde. Maar ik ben dan ook een onverantwoordelijke losbol in de ogen van mijn moeder. Oog in oog met mijn moeder ziet hij hoe ik er over vijfentwintig jaar uitzie. 'O, mijn god, dat staat me te wachten,' zal hij denken. Onbewust zal de schrik hem om het hart slaan en elke keer als hij mij aankijkt zal de beeltenis van mijn moeder eroverheen glijden. En voor je het weet, hup, daar rent hij de met cipressen omzoomde laan al uit. Ik ben voor het eerst van mijn leven met een man bij wie ik nooit meer weg wil en hij ziet mijn moeder en zal in een milliseconde weten dat dit een heel leuke, maar tijdelijk affaire zal zijn. En ik zou het snappen, dat ook. Maar ik kan hem moeilijk zeggen: 'Je mag alleen mee als je me belooft niet weg te rennen na dit tripje.'

Ik had het niet moeten doen. Ik had hem niet mee moeten nemen. Terwijl mijn rug tegen de vliegtuigstoel wordt gedrukt, realiseer ik me dat ik de relatie naar een *next level* breng zonder dat ik dat wil. Help! Ik wil het niet. Ik wil het houden zoals het is, vrolijk en ongedwongen en voor de rest van mijn leven. Mag dat ook? Ik had moeten zeggen: er komt niks van in. We gaan niet. Maar ik wilde me niet laten kennen. Hij reageerde zo lief en zo spontaan. Als ik mijn hakken in het zand had gezet, dan had ik hetzelfde gesprek moeten voeren. Ik heb aan struisvogelpolitiek gedaan. Als ik er niet over praat dan is het er niet. Ja, ik geef het toe. Het was overmoed. Stom. Stom.

Feitelijk is het Sonja's schuld. Als zij niet langs was gekomen en niet was gaan zeuren over mijn liefdesleven, dan was er niets aan de hand geweest. Dan was ik lekker alleen naar Italië gegaan of ik had een list verzonnen om thuis te kunnen blijven. Dan had ik mijn liefde voor mezelf gehouden. Maar ik wil erbij horen, ik wil laten zien dat ik normaal ben, dat ik geslaagd ben, ik wil net als de rest met een partner aan tafel zitten en doen alsof het leven prachtig is. Ik wil geen buitenstaander zijn. Ik wil erbij horen. Niet anders. Alleen. Eenzaam. Gescheiden. Mislukt.

Ik kijk opzij naar Rig. Beloof je me niet weg te rennen na dit tripje? denk ik. Beloof je me dat wanneer je getroffen wordt door golven van weerzin je ze zult trotseren? Beloof je me dat je voortaan niet de ogen van mijn vader in die van mij zult zien? Want ook al heb ik zijn ogen, in die van mij schuilt een andere wereld dan in die van hem, dat beloof ik je. Daar moet je op vertrouwen, al zul je soms denken dat het niet zo is, toch zul je daarop moeten vertrouwen. Ik ben bang. Mijn familie representeert mijn fouten in het kwadraat. Uitvergroot. Alles wat ik aan mezelf haat zie ik terug in mijn familie. Mijn gekte in Boef, mijn benepenheid in Sonja, mijn laffe domheid in mijn moeder en mijn dominantie in mijn vader. Hij zal mij uitvergroot zien en op mijn lelijkst. Maar zolang ik er niet over praat zal hij mijn familie los zien van mij, dan zal hij hen niet terugzien in mij, dan zal ik los van hen blijven, gedistantieerd. Ik zal een koekoeksjong lijken. Anders, vreemd, samen zullen we ons vrolijk maken om hun tekortkomingen en nooit zal hij weten wat er van hen in mij schuilt.

12

EIGHT MILE HIGH CLUB

Ik aai de rug van zijn hand. Ik heb hem weinig over mijn familie verteld. Ik heb er luchtig en vrolijk over gedaan. Met luchtigheid en vrolijkheid wil ik de realiteit bezweren. Als een selffulfilling prophecy, *fake it till you make it.* Luchtig en vrolijk zal het weekend met mijn ouders zijn. Het moet kunnen. Met mijn geliefde aan mijn zij zal iedereen zich gedragen, inclusief ik. Iedereen zal zijn beste beentje voor zetten. Ik moet ervan uitgaan dat iedereen blij is om mij gelukkig te zien en er alles aan zal doen om het zo te houden. Vertrouwen en loslaten. Niets aan de hand. Niets aan de hand, halleluja. En het zal ook goed gaan, het moet goed gaan. Met Rig naast me zal ik me anders voelen. Completer, geslaagder. Ach welja, natuurlijk, wat maak ik me druk, ik verheug me er eigenlijk wel op. Hij is zo verliefd en aanbidt me zo dat ik me altijd mooi voel, zelfs wanneer ik uit het zwembad kom, of met wit weggetrokken lippen of een gevriesdroogd gezicht van de fiets stap op een koude dag. Hij kijkt me altijd aan met een zachte glimlach om zijn mond.

Ik kijk opzij. Hij is verdiept in het Ryanair-blaadje en de *flight safety*-regels.

'Altijd eerst het zuurstofmasker bij jezelf op doen,' leest hij voor. 'Dan pas bij je kind. Zul je dat goed onthouden als het zover is?'

'Je bedoelt dat ik het masker eerst bij mezelf op moet doen en pas daarna bij jou?'

'Precies.'

'Je zult zien dat jij mij moet redden, want ik doe nu stoer om jou gerust te stellen, maar als het misgaat raak ik in paniek en zul jij de rust zelve blijken te zijn. Let maar op. Het komt heel vaak voor dat mensen bang zijn voor hun eigen illusies over alles wat er mis kan gaan, maar als het feit zich daadwerkelijk voordoet blijkt opeens dat iets anders het overneemt en ze de sterkste van allemaal blijken te zijn.'

'Is dat zo?'

'Dat is zo.'

'En hoe weet je dat?'

'Gelezen in de *Quest*.'

Rig en zijn voorliefde voor populair-wetenschappelijke bladen en boeken. Zijn verslaving aan National Geographic en Discovery Channel. Hoeveel documentaires ik over dassen heb gezien de afgelopen maanden; ik zou het je niet durven vertellen, maar het zijn er veel. Dassen zijn interessante beesten, want er is minstens één keer per dag een documentaire over te zien op een of ander wetenschappelijk kanaal. Geen slechte score voor een dier dat niet met uitsterven wordt bedreigd. Hij houdt net als ik van dieren. Hij is er wat minder sentimenteel over; hij houdt van dieren, maar doet er wel stoer over. Hij eet ze nog steeds met veel gemak en smaak op, want we zijn natuurlijk geen mietjes, maar in zijn hart is hij net zo erg als ik. Een man met een dierenhart. Alleen een man met een dierenhart kan van mij houden, zo heb ik lang geleden al besloten. Omdat ik zelf zo dierlijk ben. Schrikachtig, schichtig, schuw, gevoelig en vol overgave met vier pootjes in de lucht en mijn buikje bloot en kwetsbaar wanneer ik me veilig voel. Dat is misschien wel wat me het meest ontroert aan dieren. Hun kwetsbaarheid en de manier waarop ze zich aan mensen, hun grootste vijand, kunnen overgeven. Wij kunnen alles met ze doen, een goed gemikte schop met een zwaar gelaarsde voet en de hond is dood. Wanneer mijn kat in volledige ontspanning op mijn schoot ligt, spinnend met zijn ogen dicht, kan ik hem onherstelbaar beschadigen, maar hij geeft zich over. Hij vertrouwt me. Totaal. Ik mag zijn nagels knippen, zijn oren schoonmaken, hij vindt het niet leuk, maar hij laat het toe omdat hij me vertrouwt. En dat ontroert me diep. Ik geef toe, het is makkelijk om van dieren te houden; ze spiegelen niet, ze projecteren niet, ze laten me mezelf niet zien op een nare manier, ik geef ze onvoorwaardelijke liefde en ze geven het terug. Overgave. Daar zijn dieren goed in. En de voornaamste reden dat Rig en ik nog bij elkaar zijn is zijn overgave, zijn onvoorwaardelijke liefde voor mij. En ik lepel het allemaal op zonder vragen, zonder oordeel, zonder twijfel. Daar kies ik bewust voor. Daarom vertel ik hem niets over mijn familie, daarom vertel ik hem heel veel niet. Omdat ik het denken er zo veel mogelijk buiten wil laten. Met het denken komt de twijfel, komen er oordelen, komen er vragen waar ik antwoorden op moet geven. En met de antwoorden komt er schaamte. En schaamte verhoudt zich slecht tot de liefde.

'Ik heb je lief,' fluister ik.

'Wat zeg je?'

De motoren van het vliegtuig maken te veel herrie. Ik buig me naar zijn oor.

'Ik aanbid je,' fluister ik in zijn oor.

'Dat heeft nog nooit iemand tegen me gezegd.'

'Eens moet de eerste keer zijn.'

Hij geeft me een kus.

De stewardess komt in zicht met het karretje eten en drinken.

Hij stoot me aan.

'Wil je koffie of thee?'

'Er is geen willen meer bij, tegenwoordig moet je het kopen. En voor veel geld ook nog.'

'Ook dat nog. Gekkenhuis. Het is een schande. We worden uitgekleed waar we bij staan. Ik ga er iets van zeggen.'

Hij maakt zijn veiligheidsriem los.

'Niet doen, gekkie, wat maakt het uit.'

'Geintje, schat. Ik ga even pissen voor ik er niet meer door kan omdat het karretje in het gangpad staat. Jij ook? Misschien kunnen we een poging doen om te worden toegelaten tot de Eight Mile High Club? *Nodge nodge, wink wink.* Elke dag kan je laatste zijn, schat, jouw woorden, niet de mijne. Pluk de dag, grijp hem bij zijn kloten, doe waar je zin in hebt en laat je door niets weerhouden. En ik heb zin in je, dus ik zou zeggen, ga ervoor.'

Hij kijkt me ondeugend aan.

'Kunnen we beboet worden?' vraag ik angsthazerig.

'Dan worden we beboet, wat kan het schelen. Beboet worden omdat we de liefde willen bedrijven op weg naar Italië? Ik kan me voorstellen dat er serieuzere vergrijpen zijn in deze wereld. Het is sowieso een schande dat er zoiets bestaat als een boete voor het bedrijven van de liefde. Ja, kijk, als ik een argeloos voorbij huppelende, nietsvermoedende stewardess de plee op zou trekken, mijn klauwen in haar sla en haar hulpeloos tot de mijne maak, ja, dan zou een boete op zijn plaats zijn. Neemt nog steeds niet weg dat ik niet te versmaden ben, natuurlijk. Kom es hier.'

'Kom es waar?'

'Hier, dichter bij mij.' Hij drukt zijn mond op de mijne.

'Eerst jezelf redden en daarna mij en daarvoor moet je in mijn buurt blijven. Ja. Ja. Volg mij. Ik ga en jij volgt over twee minuten, we maken er een spannende film van. *Mission Impossible.* Als het niet lukt lullen we ons eruit. Kom. We zijn op een geheime missie. Op het toilet ligt een microfilm verborgen, die ga ik nu pakken. Ik zal aan het plafond hangen met stalen draden. Ik heb jouw hulp nodig, dus kom exact twee minuten na mij naar het toilet. Dan zul je precies op tijd zijn om de microfilm op te vangen. Ben je te laat, dan valt hij in het toilet en zijn we hem kwijt. Ik ben James Bond en jij bent mijn Bond-girl. Ik ga.'

Hij staat op en beent naar het toilet. Halverwege het gangpad kijkt hij om en grijnst.

Hij loopt door naar het toilet, doet de deur open, kijkt omhoog, kijkt naar mij, trekt een moeilijk James Bond-gezicht met het pistool naast zijn wang en verdwijnt in het toilet. Het rode *occupied*-lampje gaat branden.

Ik houd van hem. God, wat houd ik van hem.

13

IS IT SAFE?

Ik kijk op mijn telefoon. Twee minuten. Ik houd het karretje in de gaten. Dat ik niet net naar het toilet wil wanneer het karretje de weg verspert. Ik zit in de film *Mission Impossible*. Ik kijk om. De stewardessen zijn druk in de weer met: 'Wilt u koffie of thee?' In een vliegtuig met 285 stoelen wordt die vraag evenzoveel keren gesteld. Niemand die op me let, niemand die het opvalt. Ik maak mijn veiligheidsriem los, kijk achterom en glimlach naar de naderende stewardess. Ik sta op en loop door het gangpad. Mijn hart bonst. Wat idioot dat mijn hart bonst, waarom zou mijn hart bonzen omdat ik naar mijn vriend ga die op het toilet is? Wat is dat voor idioots? Alsof ik iets doe wat niet mag. Natuurlijk mag dit. Ik loop naar de voorkant van het vliegtuig.

Ik sta voor de deur met mijn rug naar de cabine. Ik heb het gevoel dat het hele vliegtuig naar me zit te kijken. Het hele vliegtuig heeft zojuist Rig het toilet op zien gaan en nu zien ze mij. Ik kan het net zo goed heel hard door de captain laten omroepen: '*Good afternoon ladies and gentlemen, welcome on this flight to Pisa. I would like to announce that Rig and Iris are about to fuck, so fasten your seatbelts, it's going to be a bumpy flight.*'

Ik klop op de deur.

'*Is it safe*?' vraagt hij met lage stem.

'*Yes*,' antwoord ik.

Ik doe een stapje achteruit zodat de deur open kan en ik voor de opening sta met mijn rug naar het gangpad in een belachelijke poging Rig aan het zicht te onttrekken.

De deur gaat open, hij trekt me naar binnen en doet de deur op slot.

'Heeft iemand je gezien?'

'Het hele vliegtuig.'

'Mooi. Wat doen we? Met of zonder herrie? Zullen we ze waar voor hun geld geven? Een dubbel drievoudig orgasme, eerst jij en dan ik. Of een vluggertje?'

Hij zoent me. Hij duwt me tegen het gootsteentje en trekt mijn jurk omhoog. Ik masseer zijn kruis en maak zijn broek open. We zoenen.

Zijn hand glijdt in mijn slipje.

'Wat ben je nat,' gromt hij. Ik zet een been op de toiletpot en wriggel mezelf in een positie waardoor hij er beter bij kan. Hij streelt me deskundig en bezorgt me snel een kloppend orgasme.

Er wordt aan de deur gemorreld.

'Er wil iemand naar het toilet, er staat iemand voor de deur,' fluister ik.

'Dat verhoogt de spanning,' fluistert hij terug, neemt mijn billen in zijn handen en dringt snel en diep bij me naar binnen. Hij begint hard te stoten en komt klaar terwijl hij kreunend zijn gezicht in mijn hals duwt. Ik aai zijn hoofd.

Grijnzend kijkt hij me aan.

'Dat was heftig. Zo snel hebben we het nog nooit gedaan.'

Hij kijkt even beduusd naar zijn geslacht en ritst zijn gulp dicht. Ik trek mijn kleren recht.

'Zullen we met onze kleren los het toilet uit lopen? Ik smeer wat zaad in je gezicht en in je haar en we zeggen sorry hoor, sorry voor het ongemak, maar dit moest even. Sommige mensen moeten nodig plassen, wij moeten nodig neuken, ja, wat doe je eraan? Ik laat mijn gulp open en jouw jurk zit aan de achterkant in je slipje wat je te snel omhoog hebt getrokken, zodat een deel van je billen te zien is. En daar komen we pas achter als je voor me uit naar je zitplaats bij het raam wilt schuifelen. Het hele vliegtuig spreekt er schande van. Het leek zo'n keurige vrouw, gaat het fluisterend door het toestel. Van zo'n kerel hadden we niet anders verwacht, maar die vrouw had ik heel anders ingeschat. Iedereen ziet dat ik jouw seksslaaf ben. Iedereen ziet dat ik jonger ben dan jij. Een vrouw van middelbare leeftijd met een jonge minnaar. Onverzadigbaar en seksbelust, dat zal iedereen denken. Loop terug naar je stoel en draag het met trots.'

Hij geeft me een klap op mijn kont en duwt me het toilet uit. De passagiers zijn verdiept in hun lunch, de krant of hun iPad, of ze liggen te slapen. Er is een man, kaal met een bol gezicht en een brilletje, hij lijkt een beetje op George uit de serie *Seinfeld*, die zijn ogen op mij heeft gericht. Hij is vast degene die aan de deur heeft staan morrelen, misschien heeft hij ongegeneerd zijn oor te luisteren gelegd om ons af te luisteren, zwaar geïrriteerd omdat we hem met een volle blaas lieten wachten en is hij getuige geweest van onze seksescapade. Maar of hij luistervink gespeeld heeft of niet, hij ziet ons en hij weet het. Dat voel ik. Zijn ogen blijven op mij gericht tot ik zijn stoel ben gepasseerd. Ik hoor hoe Rig, die achter me loopt, hem vrolijk gedag zegt.

We ploffen terug in onze stoelen.

'En nu verder je kop houden, ik wil lezen.' Hij grijnst.

Ik voel geen angst meer. Seks helpt. De medicinale werking van seks is zeer onderschat. Ik geloof in de helende kracht van seks, een wijsheid die ongetwijfeld door de kerk is uitgestuft. Door de invloed van de kerk is seksualiteit in de taboesfeer terechtgekomen. Om mensen te knechten en ze hun macht over zichzelf te ontnemen zodat ze bang gemaakt kunnen worden. Angst zorgt ervoor dat je mensen alles kan laten doen. De kerk werd rijk en mensen ongelukkig omdat ze beroofd werden van wat het meest werkelijke en het meest krachtige in zichzelf is. Seks. Beter had de kerk onderricht kunnen geven in hoe seks aan te wenden. Dat tijden van celibaat bijvoorbeeld heel erg goed zijn, omdat je het genotcentrum in je hersens leert beheersen; het maakt zelfsturing mogelijk, omdat het je sterker maakt dan je driften. Uiteindelijk moeten we sterker zijn dan onze hormonen. Dat is liefde. Sterker zijn dan je hormonen. Zelf denken. Dat heeft Rig me uitgelegd. Hij is heel wijs voor zijn leeftijd. Gaan voor wat je zelf wilt is niet altijd hetzelfde als doen wat je hormonen je influisteren. Toen hij me dat vertelde wist ik dat ik voor het eerst een man had gevonden die niet achter zijn pik aan liep, maar voor mij koos vanuit zijn hart. Zou het waar zijn? Ik besloot het te geloven. Wat moet ik anders? Ik heb lang genoeg met wantrouwen naar mannen gekeken. Deze keer wil ik het anders doen. Ik wil vertrouwen en geloven en het goede zien. Misschien is liefde niets meer of minder dan een wilsbesluit. Niet geloven brengt me niet verder. Wel geloven zet me op een pad en ik zie wel waar het me brengt. Loslaten en vertrouwen.

'We beginnen aan de landing. Wilt u zo vriendelijk zijn uw veiligheidsriemen vast te maken. We verwachten over 15 minuten te landen op vliegveld Pisa. Het weer is zonnig, het is zo'n 25 graden. De weersverwachting voor de komende dagen is goed. Wij hopen u terug te zien op een van onze vluchten en wensen u een prettig verblijf in Italië.'

14

BRAMASOLE

Bramasole, 'iets wat vurig verlangt naar de zon', zo heet het abrikooskleurige huis van mijn ouders in Toscane. Mijn ouders hebben het huis jaren geleden als een bouwval gekocht en helemaal op laten knappen. Mijn moeder heeft zich uit kunnen leven in de styling van alle kamers. Het is zeer smaakvol ingericht, ik kan niet anders zeggen. Met een grote open haard in de woonkamer, comfortabele fauteuils, en veel schilderkunst van plaatselijke kunstenaars aan de muur.

Het ligt achter een schitterende poort aan een smalle weg in het heuvelachtige achterland van Lucca, net buiten het dorp Marlia. Een weg omzoomd door cipressen voert langs een meer naar het huis. De heuvel boven de villa is dichtbegroeid met naaldbomen, kastanjebomen, ceders en essen, allemaal beschutting biedend en allemaal vol bladeren. Op een andere heuvel staan olijfbomen en rondom worden de grasveldjes beschaduwd door fruitbomen: appel-, perzik-, peren-, abrikozen-, vijgen- en granaatappelbomen. Dit is het lieflijkste landschap dat ik ken. Hoewel er al wekenlang geen drup regen is gevallen, zijn het gazon en de bloembedden dankzij de ondergrondse sproei-installaties diepgroen en reuze fleurig. Aan het begin van de oprit, in een kleine boomgaard, steken een paar stokoude olijfbomen hun verweerde takken omhoog naar de zon. Achter het huis bevindt zich een terras met uitzicht over de vallei, veel rozenstruiken en een pergola met druiven. Aan de zijkant ligt een groot grasveld met vijgen- en granaatappelbomen. Het grasveld grenst aan een twee meter hoog muurtje waarvan het cement door de hitte altijd verkruimelt, waardoor de tuinman het elk jaar opnieuw moet voegen. Maar dat kwam er niet altijd van. Achter het muurtje bevindt zich het grote zwembad met golfstroom, zodat je eindeloos tegen de stroom in kunt zwemmen. Iets wat ons reeds op jonge leeftijd is geleerd. Daar kun je maar beter vroeg aan wennen, vond mijn vader, ervan uitgaand dat het in het leven niet veel anders zou zijn. 'Het leven is hard.' Woorden waarmee hij ons soms nog voor het ontbijt al om de oren sloeg. Liever was ik opgevoed met de overtuiging dat er altijd voor me gezorgd zou worden, of dat ik de moeite waard was. Waarschijnlijk heeft hij die ervaring niet en is hij nooit op het idee gekomen om zijn kinderen iets anders bij te brengen dan wat hij zelf gewend was en is hij nooit aan een andere waarheid over zichzelf toegekomen. En zo is door een reeds op jonge leeftijd ingeponst overtuigingenstelsel iedereen de architect van zijn eigen narigheid. Jong geleerd, oud gedaan.

Midden op het grasveld staat 'mijn' boom, een imposante mimosa, waar mijn vader, toen ik nog klein was, een boomhut in heeft laten bouwen.

Als je binnen een plaid gaat halen, mag je ook in de boom. Dan tillen wij je wel in de boom, dan houden wij je vast. Ga maar binnen een deken halen. Als je dat doet, mag je met ons meedoen.

Dan wordt de film zwart.

In het volgende beeld sta ik met een verband om mijn hoofd en mijn linkerarm in een mitella te salueren terwijl er een foto van me gemaakt wordt. Ik lach. Blij omdat er een foto van me gemaakt wordt. Aandacht. Aandacht is goed. Gewond zijn betekent aandacht krijgen.

15

ALS IK WIST DAT JE ZOU KOMEN HAD IK DE LOPER UITGELEGD

'Zijn jullie daar eindelijk?'

Sonja loopt me over het kiezelstenen pad tegemoet.

'Hoezo, eindelijk? We zijn uit het vliegtuig meteen hier naartoe gekomen.'

'Ik had jullie veel eerder verwacht. Hebben jullie de late vlucht genomen?'

'Er is maar één vlucht.'

'Naar Pisa?'

'Ja, naar Pisa, ja.'

'O, ik dacht dat je via Florence vloog. Nou ja, wat doet het ertoe. Jullie zijn er.'

Ze spreidt haar armen voor een stevige omhelzing. Ze drukt me tegen zich aan en houdt me vast.

Met mijn gezicht in haar haren zeg ik: 'Sonja, er staat hier nog iemand.'

Haar haren plakken aan mijn vers gestifte lippen. Ze laat me los, draait zich een kwartslag en steekt haar hand uit.

'Hallo.' Ze geeft hem twee zoenen op zijn wang. 'Hoe gaat het?'

'Uitstekend,' zegt Rig.

Ze kijkt hem aan, houdt haar hoofd scheef en knikt instemmend terwijl ze hem van top tot teen bekijkt. Ze flirt. Mijn zus flirt met mijn nieuwe vriend.

'Leuk dat jullie er zijn. Kom binnen. Kom binnen.'

Ze geeft hem nog net geen tik op zijn kont en gaat ons voor.

'Ik dacht echt dat jullie naar Florence vlogen. Maar dat is natuurlijk duurder dan Pisa. Pisa is altijd lekker goedkoop. Ryanair zeker?'

Sonja wil nog niet dood gevonden worden in een vliegtuig van Ryanair. Om haar woorden kracht bij te zetten kijkt ze even om en knipoogt naar Rig. Hij pakt even mijn hand en knijpt erin. Ze zwaait de deur open. Rig pakt onze koffers en sjouwt ze naar binnen. Ik neem het schilderij onder mijn arm.

'Ze moeten straks die trap op,' wijst Sonja, 'maar zet ze hier maar even neer. Dat komt straks wel. Kom. We zitten buiten, dan pakken we nog net een randje zon mee. Het is prachtig weer voor de tijd van het jaar. Echt niet normaal warm.'

Ze loopt voor ons uit de woonkamer door waar de terrasdeuren wijd openstaan naar het terras.

Aan de muren hangen foto's van Sonja en Anton en van Iris en Robbert. Allemaal vrolijk lachend, alle foto's vertellen hetzelfde: wij zijn een mooi en gelukkig paar. De bedrieglijkheid van schone schijn. Er hangen foto's van Boef, altijd alleen op de foto. Een foto van Dino, de Friese stabij, en boven de open haard hangt een groot schilderij van Poekie, onze, maar voornamelijk mijn, kat. Huisdieren kwam het bij ons zelden op een natuurlijke dood te staan. Dino is onder een auto gekomen en Poekie is verdronken.

Ik zet het schilderij erbij. Rig legt zijn hand op mijn rug. Ik raak zijn bovenbeen aan. Op het dressoir zie ik een stapel cadeaus liggen.

'Kom,' zeg ik zo kordaat mogelijk.

Ik passeer Sonja die ons voor laat gaan. Achter Rig zijn rug steekt ze twee duimen op en steekt haar tong in haar wang. Ik doe mijn ogen dicht in de hoop dat mijn hersens het niet opslaan en er niets zal veranderen aan het geluk in mijn hoofd. Alles moet blijven zoals het is. Correctie, alles moet blijven zoals het was. Zachtjes duw ik Rig voor me uit het terras op.

16

APERITIVO

We lopen naar buiten. Daar zitten ze. Er staat een lange stenen tafel op het terras dat een prachtig uitzicht geeft over Lucca beneden in het dal. Mijn vader zit aan het hoofd van de tafel, mijn moeder ernaast, en verder Anton, de man van Sonja, en Boef. Er staan flessen wijn op tafel, wit en rood, flessen water met en zonder prik, wat prosecco, en een paar bakjes olijven. Kleurige porseleinen borden, kristallen glazen met motief. Een vaas met een groot boeket bloemen. Alles is tot in de puntjes verzorgd, er valt niets op aan te merken.

'Nou daar zijn ze, hoor,' roept Sonja het gezelschap tegemoet. 'Eindelijk.'

Ik weet heel zeker dat ik de juiste aankomsttijd heb doorgegeven. Dat doet ze slim, onze Sonja, lachend alle aandacht op ons vestigen, maar wel negatief. Niemand heeft het door. Ja, Boef, Boef wel. Ik kijk hem aan. Hij zit achterovergeleund in zijn stoel, zijn rechterbeen over de leuning geslagen. Hij draait zijn ogen naar de hemel, tuit zijn lippen en schudt ontkennend zijn hoofd, houdt zijn glas omhoog, geeft me een knipoog en neemt een slok.

Ik zwaai de tafel rond.

'Hallo allemaal.'

'Ha, daar zijn jullie,' mijn vader springt op en loopt op ons toe. 'Dat werd tijd, zeg, ik begon me al zorgen te maken. We zitten hier al de hele middag te wachten.'

'Ik snap niet hoe dat kan, ik heb Sonja toch verteld hoe laat we...'

'Maakt niks uit, maakt niks uit, jullie zijn er nu, daar gaat het om. Ik dacht minstens dat het vliegtuig was neergestort.'

Hij begint hard te lachen en geeft me twee zoenen op mijn wang en houdt even mijn schouders vast terwijl hij me aankijkt.

'Laat me je es even bekijken, ik heb je al zo'n tijd niet gezien.'

Ik maak me los.

'Pap, dit is Rig.' Ik houd twee handen naast elkaar, alsof ik een dienblad vasthoud, en wijs in zijn richting.

Het wordt heel even doodstil aan tafel. Het is alsof iedereen zijn adem inhoudt.

'Zooo,' zegt mijn vader, 'dus jij bent Rick.'

'Nee pap, het is Rig, Er-Ie-Gee, met een zachte k, op z'n Engels.'

'Righ. Zo goed?'

Hij spreekt de naam overdreven precies uit, waarmee hij zijn misnoegen over de weinig voorkomende naam van mijn geliefde laat merken, al is er verder niets op hem aan te merken, al is het alleen zijn naam; dan zal het zijn naam zijn. Kritiek is geen liefde, maar dat heeft mijn vader niet begrepen. Mijn vader denkt dat kritiek en het voortdurend willen verbeteren een uiting van liefde is. Zo zit hij in elkaar. Je went eraan.

'Righ? Wat een rare naam, beetje overdreven, vind je zelf ook niet? Righ. Is dat niet het Engelse woord voor booreiland? Ja, toch? Dat is toch het Engelse woord voor booreiland?'

'Ja, dat klopt,' antwoordt Rig. 'Het is ook de naam van een Noorse god en daar ben ik naar vernoemd.'

'Booreiland, ik zweer het je.' Mijn vader slaat Rig op de schouder en schaterlacht.

'Maar zonder gekkigheid, ik zal mijn best doen, Righ.'

Ze geven elkaar een hand. Mijn vader neemt Rig in zich op, en Rig laat het glimlachend toe. Het lijkt wel een kwartier te duren. De twee mannen die handen schuddend in de tuin staan. Wie laat het eerste los?

Dan slaat mijn vader hem met zijn linkerhand op zijn schouder en zegt: 'Van harte welkom. Hier, ga zitten.'

Hij trekt een stoel naar achteren. De poten laten sporen na in de kiezels op het terras.

'Uh, wacht even, wacht even, ik ga te snel. We moeten je nog aan iedereen voorstellen. Ik ben er nog niet aan gewend dat Iris een man mee naar huis neemt. Het is alweer een tijdje geleden dat onze Iris met een man is thuisgekomen. Hè, Iris? Zuinig zijn op deze, hoor.'

Hij lacht weer. Het is niet leuk, maar hij lacht toch.

'Jongens, dit is de nieuwe man in het leven van Iris. Wij zijn zeer vereerd dat je gekomen bent. Wat was je naam ook weer? Niet Rik, maar...'

Hij kijkt Rig aan. Die kijkt met kalme blauwe ogen terug.

'Rig.'

'Ach ja, natuurlijk.'

Mijn moeder staat op en loopt op ons af.

'Dag kindje.' Ze kust me op beide wangen en geeft Rig een hand.

'Hallo, wat ontzettend leuk dat je meegekomen bent. Laat me je even aan iedereen voorstellen.'

Ze pakt hem bij zijn arm en loopt de tafel rond.

'Dit is Anton, de man van Sonja, die heb je al ontmoet geloof ik, en dit is onze zoon Boef.' Boef salueert en klakt zijn schoenen in de lucht tegen elkaar.

Rig gaat de tafel rond en geeft iedereen een hand. Ik loop erachteraan en geef Anton een kus op zijn wang en knijp hem even bemoedigend in zijn schouder. Hij kijkt me dankbaar aan. Er zit wat antipasti in zijn snor. Het is een lieverd. Hij heeft dikke wangen waardoor hij een beetje op een brulkikker lijkt en hij heeft ook wel wat weg van een dwerg. Dat is niet onaardig bedoeld, het is een constatering. Hij lijkt op een dwerg, niet omdat hij klein is, maar omdat hij een te groot hoofd heeft in verhouding tot zijn bovenlichaam en hetzelfde geldt voor zijn armen die te kort zijn voor zijn bovenlichaam. Bovendien heeft hij zijn te korte armen over zijn behoorlijk dikke buik geslagen waardoor zijn armen optisch nog korter lijken. Een uit de kluiten gewassen dwerg met het hoofd van een besnorde brulkikker. Dat is de man van mijn zus. Maar een lieverd. Echt.

'Waar zijn de kinderen?' vraag ik hem.

Sonja en Anton hebben twee kinderen. Bonnie en Herman. Ik noem ze meestal Bonnie en Clyde, dit tot grote ergernis van Sonja, maar de tweeling zelf vindt het fantastisch om zo genoemd te worden. Met enige regelmaat rennen ze door het huis met plastic pistooltjes om iedereen neer te knallen en stelen de portemonnees uit de zakken van de gasten. Ik ben hun favoriete tante en door mij komen ze op het verkeerde pad, dat zul je net zien. Maar wat kan het schelen, als je maar lol hebt. Daar gaat het om in het leven, om het leuk te hebben. En leuk zullen we het hebben, al vallen we er dood bij neer. Pief, paf, poef.

'Die zitten beneden in de tv-kamer een dvd'tje te kijken. Of ze zijn aan het pingpongen. Zoiets. Ze komen zo wel naar boven. Ik heb al geroepen dat jullie er zijn,' antwoordt Sonja.

Boef staat op en slaat zijn armen om me heen. Eau Sauvage van Dior dringt mijn neusgaten binnen, de geur die hij al zo'n kleine dertig jaar draagt. Ik houd van die geur. Op Schiphol spuit ik het altijd even op. Ik heb zelf nooit een flesje gekocht en ik heb ook nooit een vriendje gehad die de geur droeg. De geur doet me denken aan onbekommerde tijden, tijden die helemaal niet onbekommerd waren, maar het geheugen is barmhartig. Het vergeet de minder mooie momenten, het stopt pijn weg in een grote ladekast en wat overblijft is een smeltkroes vol zoete herinneringen aan vervlogen tijden. We verlangen terug naar vroeger tijden omdat we ons de pijn niet meer kunnen herinneren. We verlangen naar iets wat nooit heeft bestaan. Vroeger was het niet beter, maar ons geheugen zegt van wel. Ik heb een aanleg tot melancholie en de depressiviteit die daarbij hoort door het verlangen naar onbevreesd en onbekommerd leven in tijden van leven in liefde. De liefde fantaseert ons geheugen er voor het gemak bij. Fantaseren doen we niet alleen over de toekomst, maar net zo goed over het verleden. Melancholie is verlangen naar een illusie. Na mijn scheiding besefte ik dat ik het grootste deel van mijn leven had doorgebracht met verlangen naar een tijd die er niet meer was of nog moest komen. Tot ik Rig tegenkwam en alleen nog maar klaarwakker in het hier en nu wil zijn.

Mijn broer houdt me vast en zijn geur doet een golf van weemoed in me opwellen. Boef nam me stiekem mee op kroegentocht waar hij – omdat we geen cent te makken hadden – met zijn charme, humor en snelle praatjes iedereen wist te verleiden om ons te trakteren op drankjes en bitterballen tot we dronken en gierend van de lach diep in de nacht naar huis gingen waar hij ons naar binnen wist te sluizen zonder dat mijn ouders het merkten. We hadden kussens in ons bed gelegd zodat het leek alsof we in bed lagen. Beter gezegd: hij haalde kattenkwaad uit en ik liep erachteraan, vol ontzag over het lef van mijn broertje. Ik bewonderde het lef dat hij had om niet geïntimideerd te raken door autoriteit. Ik wist toen nog niet dat lef ook gewoon een probleem kan zijn dat zijn uitweg zoekt. Zijn autoriteitsprobleem is hem bijna noodlottig geworden, maar dat is het leven denk ik. We worden overweldigd door onze grootste kracht, onze grootste kracht kan zich tegen ons keren. Hoe sterker we zijn, des te zorgvuldiger moeten we leven om die kracht in de juiste banen te leiden. Goede voorlevers hebben we nodig. Die hebben wij niet gehad. Dat is onze pech. Boef is in mijn ogen altijd mijn kleine broertje, ook al is hij ouder dan ik. De deugniet van de familie, het zwarte schaap. Hij heeft zijn leven lang zijn best gedaan die kwalificatie recht te doen.

'Ben je daar eindelijk,' fluistert Boef in mijn oor.

'Hoe lang ben je hier al dan?' vraag ik.

'Ik was er gisteren al, ik word gek.'

'Waarom kom je dan ook zo vroeg, waarom heb je niet dezelfde vlucht als ik genomen?'

'Die was al vol. Te lang gewacht met boeken.' Hij trekt een clownesk gezicht en draait met zijn grote bruine ogen waarmee hij wil zeggen 'heb ik weer'.

Zijn donkere haar valt in zijn ogen.

'Ben je alleen? Ik dacht dat jij ook iemand mee zou nemen? Ik hoorde iets over een Rosalie.'

'Rosalie, Lieke, Annemarie, ik kon niet kiezen, toen ben ik maar alleen gekomen.'

Hij begint hard te lachen. Wanneer Boef iets zegt wat eigenlijk verdrietig is, begint hij er zelf hard om te lachen. Het is ook een manier om met verdriet om te gaan. De waarheid is dat geen enkele vrouw het bij hem uithoudt. Hij kan iedere vrouw verleiden, maar bij zich houden lukt hem niet. Ze rennen weg, zo hard mogelijk. En doen ze dat niet, dan rent hij weg of doet iets vreselijks waardoor ze alsnog wegrennen, zoals door het raam klimmen en de boel molesteren, te beginnen met de koekoeksklok die toevallig aan de muur hangt. Om maar een voorbeeld te noemen. Het verhaal wil dat hij het huis van zijn vriendin was binnengedrongen in de hoop haar te kunnen betrappen op overspel. Hij was ervan overtuigd dat ze hem bedroog. Dat was ook zo, alleen was ze die avond toevallig alleen. Boef had de verkeerde avond uitgekozen om haar te betrappen. Hij had een blauwe Subaru voor een blauwe BMW aangezien. De blauwe BMW was van de minnaar van zijn vriendin en leek in weinig opzichten op een Subaru, behalve de kleur. De kleur kwam overeen met die van de BMW, wat vreemd is omdat BMW erom bekendstaat dat hij zijn eigen kleuren maakt. Maar in dit specifieke geval had Subaru eenzelfde kleur gemaakt. Zoiets gebeurt soms. Iemand heeft een idee en dat idee vliegt de lucht in en komt ergens anders terecht en aan de andere kant van de wereld wordt precies hetzelfde gemaakt. Dat was gebeurd met de kleur van de BMW. In het schemerlicht van de straatlantaarns had Boef de auto voor de BMW aangezien en was door het raam naar binnen geklommen. Boef is atletisch. Hij heeft veel geroeid en aan atletiek gedaan. Hij heeft bergen beklommen, diepzee gedoken, je kunt het zo gek niet bedenken. Boef is een *thrill seeker*. Hij verveelt zich snel. Zo had hij zich ook bij die vriendin verveeld en was feest gaan vieren met een andere dame. Vandaar dat hij een koekje van eigen deeg kreeg en zij overspel pleegde met een van zijn stapmaatjes. En Boef is behalve atletisch ook jaloers; vandaar dus zijn reuzensprong door het raam. Het arme kind was zich rot geschrokken, ze woonde één hoog. Maar goed, mild geworden omdat hij zag dat ze alleen in bed lag, wilde hij aanvankelijk alleen praten. Hij probeerde bij haar te gaan liggen, maar dat vond ze niet goed.

Daarop besloot hij met de koekoeksklok te gaan spelen en de klok op twaalf uur te zetten. Dat zou betekenen dat het vogeltje zich twaalf keer zou laten zien. Dat deed hij, zo vertelde hij me later, omdat hij dacht dat het haar aan het lachen zou maken waardoor hij alsnog met haar de koffer in kon duiken. Maar blijkbaar is een koekoeksklok daar niet voor gemaakt, want het vogeltje kwam nog precies één keer naar buiten, liet nog een zacht 'koekgghh' horen en bleef toen voor dood buiten hangen. Daarop werd Boef boos. Boef kan om de gekste dingen boos worden. Hij probeerde het vogeltje terug te proppen, de cijfers weer op twaalf uur te zetten, maar het wilde allemaal niet baten. Het vogeltje was hartstikke *morte.* Daarop ontstak hij in woede en begon met het meubilair te gooien. Dat is in elk geval het verhaal van zijn vriendin, god hoe heette ze ook weer, Elsemieke, geloof ik.

Boefs lievelingsmuziek is *Music for the Funeral of Queen Mary* van Henry Purcell die ook gebruikt werd bij de film *A Clockwork Orange.* Toen ik nog thuis woonde pikte hij weleens mijn nepwimpers en ging met bolhoed en al op stap. Terwijl hij feitelijk geen vlieg kwaad doet, maar hij mag graag die indruk wekken onder het motto 'de aanval is de beste verdediging'. Hij is twee jaar ouder dan ik. Eigenlijk heet hij Martin. Maar de kwajongen in hem was reeds op jonge leeftijd aanwezig en al snel werd het Boef. En zo is het nog.

17

ANTIPASTI

'Ga hier maar zitten,' zegt mijn moeder tegen Rig en ze trekt de stoel naast mijn vader naar achteren. Ik ga naast hem zitten en laat me zijdelings even tegen hem aan vallen. Arm tegen arm. Hij duwt zachtjes terug. We communiceren met onze lichamen, veel veiliger dan woorden te gebruiken. Van woorden komt nooit veel goeds. Beter het lichaam laten spreken. Het lichaam liegt nooit. 'Alles goed?' vraagt mijn arm. 'Alles goed,' laat zijn arm weten. We voelen elkaar goed aan. We begrijpen elkaar het best wanneer we niet praten en onze lichamen het werk laten doen. Zo voelen we wat de ander nodig heeft. Het hoofd en alles wat zich daarin afspeelt gooit alleen maar roet in het eten. We hebben de stilte ontdekt, de stilte waar we zuivere antwoorden vinden op wie we zijn. In plaats van denken dat we weten wat de ander nodig heeft, iets wat meestal gelinkt is aan een eigen behoefte die we vervolgens op de ander projecteren, voelen we wat de ander nodig heeft. Zoiets is het. Daarvoor moeten we wel veel en dicht bij elkaar zijn. Ik functioneer het beste wanneer de relatie symbiotisch is. Dat wist ik niet, maar dat legde Rig me uit nadat we een paar weken bij elkaar waren, dat we veel contact moesten hebben, ook als we niet bij elkaar konden zijn. Intiem, warm, sexy contact.

'Ik heb wat hapjes gemaakt. Niets bijzonders, hoor.'

Als mijn moeder 'niets bijzonders' zegt, berg je dan maar.

‘Zo, Rick. Ik zeg Rick. Vind je dat goed als ik je Rick noem? Dat bekt lekkerder, vind je ook niet?’ Mijn vader leunt achterover en laat zijn stoel een beetje kantelen.

‘Papa, pas op dat je niet valt,’ zegt Sonja.

‘Hou je mond, Snoes. Ik kan heel goed op mezelf passen. Sonja noem ik Snoes, want dat is ze, hè snoezepoes.’ Hij knipoogt even naar Sonja. ‘Martin noem ik Boef, zijn moeder noem ik Sierparkiet en Iris noem ik Duif. Dat vindt ze niet leuk, dus dat probeer ik af te leren, maar dat is zo gegroeid. En jou noem ik Rick. Oké?’ Hij laat de stoel weer op vier poten zakken terwijl hij Rig aankijkt.

‘Prima, hoor,’ zegt Rig.

‘Mooi. Aardige gozer, Iris.’

Mijn moeder loopt het terras op met een groot dienblad.

‘Ik heb zomaar wat gemaakt, hoor. Niets bijzonders,’ roept ze weer. Dit om te benadrukken dat het wel degelijk bijzonder is. Roepen dat het allemaal niets voorstelt kan alleen maar tot nog grotere bewondering leiden. Mijn moeder is zeer behendig in het binnenharken van complimenten door middel van negativiteit. Als ze reuze in haar sas was geweest over haar werk en het met veel enthousiasme had aangekondigd was haar dat op een: ‘tut tut, zo geweldig is het nou ook weer niet’ van mijn vader komen te staan. Als iets goed is, maakt mijn vader het slecht, en andersom. Hij zal nooit meegaan, meebuigen. Hij is de alfa-aap, hij heeft het voor het zeggen, dus is hij het nooit met iemand eens, hij zal altijd tegenwicht bieden. Ongeacht wat iemand zegt. Apengedrag. Mijn vader heeft een onderdrukkende persoonlijkheid en dan druk ik mezelf heel voorzichtig uit.

Mijn moeder valt niet te overtreffen. Dus mocht je iets bijzonders willen doen voor haar; onmogelijk. Dat lukt niet. Mijn moeder is perfect. Dat kan niet anders met een kritische man. Er is maar één manier om geen doelwit te zijn van zijn kritiek en dat is door perfect te zijn, zodoende heeft mijn moeder perfectie tot een kunst verheven. Mijn vader heeft veel te mopperen, maar nooit en ik herhaal, nooit over de kookkunsten van mijn moeder.

Nou, nee, dat is niet helemaal waar. Hij haat knoflook, dat gebruikt ze volgens hem te veel. Maar afgezien van het gebruik van knoflook is het gekokkerel van mijn moeder heilig. Koken is voor mijn moeder de enige manier om buiten schot te blijven. Koken als bezigheidstherapie, om het hoofd boven water te houden. O ja, en slakken. Slakken lust hij ook niet. Behalve als je zegt dat het champignons zijn, dan eet hij ze met veel smaak op. Een truc die we in het verleden, in de tijd dat slakken eten nog in de mode was, met enige regelmaat hebben toegepast. Hij heeft wel een grote mond, maar in die mond zijn alle smaakpapillen allang onklaar gemaakt door het vele alcoholgebruik en de sigaren. Zijn ego houdt niet van knoflook omdat hij iets te zeiken moet hebben, want proeven doet hij allang niet meer. Je kunt mijn vader alles laten eten, als je maar genoeg wijn in de man gooit en zegt dat het iets is wat hij lekker vindt, dan propt hij het met veel smaak en luidruchtig gesmak naar binnen. Geen enkel probleem. Ook mijn vader is een liefhebber van illusies. *Just a spoonful of sugar makes the medicine go down*, zong Julie Andrews in *Mary Poppins*, vermoedelijk de allereerste speelfilm die ik ooit gezien heb. Andere meisjes hebben een ridder of een prins als eerste liefde, mijn eerste liefde was Mary Poppins. Zo'n kindermeisje wilde ik ook: lief, warm, beschermend, iemand die alles goedmaakt, bovennatuurlijk en mysterieus, die zingend door het leven gaat en uit haar tas een oplossing tovert voor elk denkbaar probleem. Zoals slakken veranderen in champignons. Alles voor de goede zaak. Het gaat om het idee. Veel verstand van eten heeft hij niet, hij eet gulzig en zonder veel aandacht. Wat zegt het eetgedrag over de man als minnaar? Ik wil er niet aan denken. Niet aan denken, niet aan zulke dingen denken. Alleen aan fijne dingen denken. Ik kijk opzij naar Rig en streel hem even over zijn wang.

'Zeg, begint het nou al, we gaan hier toch niet zitten flikflooien, niet onder mijn neus,' bromt mijn vader.

'Pap, doe niet zo onaardig. Het zijn tortelduifjes, laat ze,' zegt Sonja.

Het is lief van haar om voor me op te komen. Dat doet ze niet vaak. Meestal houdt ze laf haar mond. Waar komt dit plotseling vandaan? Mensen kunnen wel degelijk veranderen, zo zie je maar. Ik glimlach naar haar. Ze geeft me een bemoedigende knipoog.

Mijn moeder neemt een slok van haar witte wijn, gaat naast mijn vader staan en wijst met een perfect gemanicuurde wijsvinger de schaaltjes aan.

'Dit is pesto met en dat is pesto zonder knoflook. Mijn man houdt niet van knoflook, vandaar. Hou je van knoflook?' vraagt ze aan Rig.

'Ja, heerlijk, ik ben dol op knoflook. Ik heb weleens gegeten in een knoflookrestaurant in Los Angeles. Daar zat zelfs knoflook in het dessert. Geweldig was het.'

'Lekker, heb ik weer. En dat gaat naast mij zitten. Kun je niet een stukje verder aan tafel gaan zitten? Dat gaat hier zo meteen een partij zitten stinken.'

Mijn moeder stoot mijn vader aan.

'Goed zo. Dat mag ik graag horen. Krijg jij van mij...' – ze prakt een dikke laag pesto met knoflook op een crostini en geeft hem aan Rig – '... een crostini met pesto. Kijk es. Eet maar lekker op.'

'Dank u. Lekker.' Hij neemt een hap.

'En knoflook is heel gezond, dat weet je, hè. Ik maak de pesto altijd zelf, want uit een potje is het niet lekker. Dat stinkt. Daar doen ze geen echte basilicum in, ik weet niet wat ze er wel in doen, maar geen basilicum, zoveel is zeker. Ik verdenk ze ervan dat ze er doodordinaire spinazie in gooien en verder een zooitje smaakversterkers. Zeg nou zelf, pesto uit een potje is toch niet te vreten?'

Ze kijkt haar kinderen een voor een aan en wacht op instemmende woorden.

'Nee, mam, heel vies,' zegt Sonja.

Ze stoot Anton aan door hem met haar elleboog in zijn zij te porren.

'Jij vindt het ook niet lekker, hè, pesto uit een potje?'

'Ik weet het niet, nee, ik denk het niet,' zegt Anton. Hij zegt niet veel en wat hij zegt, zegt hij op zachte toon met de oren plat. Ze zeggen dat meisjes iemand trouwen die op hun vader lijkt, maar in het geval van Sonja is dat allerminst het geval. Sonja ís mijn vader, denk ik opeens. Maar als Sonja mijn vader is, met wie is ze dan getrouwd?

'Ik maak hem zoals het hoort, in een vijzel,' vervolgt mijn moeder, die schooljuffrouw had moeten worden.

'Ik heb een wit marmeren vijzel, de originele uit deze streek. Ik maak pesto nooit in een keukenmachine, die maakt de basilicum te warm en daar wordt het ranzig van. Echt niet doen, dus!' Ze kijkt Rig met grote ogen aan.

'Ik zal eraan denken, mevrouw,' en alleen ik hoor de lach in zijn stem.

'Zeg maar Thérèse.'

Ze buigt zich voorover en legt haar hand even op zijn arm.

Hij stopt de rest van de crostini in zijn mond en hij zwaait enthousiast met zijn hand langs zijn wang.

'Het is heerlijk, Thérèse.'

'Van knoflook ga je uit je bek stinken,' bromt mijn vader. 'En daar hebben anderen last van. Het is asociaal om knoflook te eten. Vanaf nu alleen nog maar de andere kant op praten, niet mijn kant op praten.'

Zonder verder acht op hem te slaan, gaat mijn moeder verder met haar uitleg van het culinaire gedeelte van de avond.

'Dit zijn gefrituurde courgettebloemen gevuld met mozzarella. Iris, wist je dat de Esselunga tegenwoordig ook courgettebloemen verkoopt?'

Ze kijkt me aan met een blik die me vertelt dat dit het beste nieuws in jaren is.

'Nee, mam, dat wist ik niet.'

'Ja, ik wist niet wat ik zag. Die winkel is zo'n stuk beter geworden de laatste jaren. Echt fantastisch. Waar was ik? O ja, dit is een *torta verde di Maria*. Dat is een groene taart van wilde kruiden. Die kruiden staan hier gewoon langs de weg. Ik ga een eindje wandelen en dan kom ik met een mand vol kruiden terug, hè Joep? Fantastisch, toch? Je moet natuurlijk wel goed weten wat je moet plukken.'

'Ja, voor je het weet pluk je het verkeerde plantje en val je hartstikke dood neer,' zegt mijn vader.

'Is misschien een idee, mam,' zegt Boef en hij barst in zingen uit: '*En dat is nou het rare van het leven en de dood, Het scheelt ternauwernood, 't Verschil is meestal slechts, Een greep meer links of rechts, Lala lala lala lala,* hahahaha,' schaterlacht Boef. Net als mijn vader die ook bij alles hard lacht, terwijl het niet grappig is. Boef is wel grappig, ik vind Boef grappig, maar daar ben ik dan weer de enige in. Ik behoor genetisch tot deze familie, maar verder voel ik me nauwelijks verwant, behalve met Boef.

'Ja, dus kijk maar uit, jij,' zegt mijn moeder onverwacht venijnig tegen mijn broer om zich weer glimlachend tot de rest van het gezelschap te wenden en verder te vertellen over de gerechten die ze op tafel heeft getoverd. Iedereen luistert. De zon gaat onder en het is stil op de eerste krekels na wier getjirp langzaam aanzwelt.

Hoe lang is het geleden dat ik hier geweest ben? Twee jaar? Drie? De laatste keer was ik hier met Robbert. Mijn ouders, mijn vader met name, waren dol op Robbert. Geen idee waarom. Nee, gekkigheid, dat is natuurlijk niet waar. Robbert was charmant, attent en dronk mijn vader met gemak onder de tafel. Ik geloof dat met name die eigenschap enorm werd gewaardeerd. Dan ben je al snel dikke vrienden. Robbert kon geen kwaad doen. Ik wel. Ik was lastig. Ik was anders. Ik had snel last van dingen. Ik was overgevoelig en dus lastig. Ook daar waren ze het altijd roerend over eens. Dat ik lastig was. En als er maar vaak genoeg tegen je gezegd wordt dat je lastig bent, dan word je het vanzelf. Heel gek. Kijk maar naar Boef. Ze noemen hem Boef en wat blijkt: het is een boef. Hij heeft altijd geld, maar ik heb geen flauw benul hoe hij eraan komt.

18

KONIJNENLEVERTJESPATÉ EN WILDZWIJNSALAMI

'Ik heb onder andere paardenbloemblad en *scarpiri*, een mediterrane versie van bitterkruid, gebruikt. Wilde kruiden zijn heel gezond, die bevatten veel natuurlijke antibiotica. Hou je van kruiden? Vast wel, hè? Je ziet er wel uit als iemand die van kruiden houdt.'

Probeert mijn moeder nou indruk op Rig te maken of lijkt het maar zo?

Ik stoot hem onder de tafel aan. Hij legt zijn hand op mijn dijbeen en knijpt er zachtjes in.

'En dit is een konijnenlevertjespaté,' babbelt mijn moeder onverdroten verder. 'Daar is je vader zo dol op. Kijk, en dit is wildzwijnsalami, de wilde zwijnen lopen hier over het land. En als Joep er eentje tegenkomt, dan is hij nog niet jarig, hè Joep?'

'Dan is hij binnen de kortste keren een lekkere, vette, dikke salami,' lacht mijn vader, en hij neemt nog een slok wijn.

Mijn vader jaagt. En wat hij heeft geschoten brengt hij naar de *alimentari* van Gino, beneden in het dorp, die er wijd vermaarde worsten van maakt. Smeekbedes van mij als kind om te stoppen met jagen werden in de wind geslagen. Er werd me uitgelegd dat het goed was voor de wildstand omdat allerlei dieren geen natuurlijke vijand meer hadden. Dat begreep ik wel, maar wat ik niet begreep is dat iemand het als hobby had. Dat je voor je lol in het weekend eropuit ging om vossen, fazanten, herten en wilde zwijnen te doden. Ter verstrooiing en vertier. Omdat je er plezier aan beleeft. Dat begreep ik niet. Want dat mijn vader er veel plezier aan beleefde was duidelijk. In zijn werkkamer hangt de kop van een zelf geschoten wild zwijn. Het was feest de avond nadat hij hem geschoten had. Hij had gezegevierd over de natuur, zo voelde hij dat. De alfa-aap kon tevreden zijn. En dat vond ik dus gek, daar stond ik als klein meisje met verbazing naar te kijken. Zo'n vader wilde ik niet. Ik wilde een andere man van mijn vader maken. Een lieve man. Een gevoelige man. Iets waar ik ook – zo bedenk ik nu – jarenlang in mijn huwelijk met Robbert mee bezig ben geweest. Ik plakte dierenplaatjes op het antieke bureau van mijn vader in de hoop dat het hem zou ontroeren. Maar dat sorteerde een heel ander effect dan ik verwacht had.

Het schuimrubber schuurt zacht over de vloer. De deur gaat dicht.
Het is donker. Ik hoor niets en ik zie niets.
Ik schreeuw, maar niemand hoort me.
Met twee handen begin ik over mijn armen en benen te wrijven.
Dat geeft me het gevoel dat er iemand bij me is.
Iemand die van me houdt.

'En omdat we aan de gezondheid moeten denken heb ik ook nog salades gemaakt. Eentje met sinaasappel en munt en eentje met peultjes, honing en pecorino.'

'Gezond, wat is nou gezond? Als het lekker is, is het ook gezond. Alsjeblieft niet van dat moeilijke gedoe,' bromt mijn vader. 'Is er geen vlees? Dit is mij allemaal veel te antroposofisch.'

'Niet zo voorbarig, Joep, ik heb nog een citroenkip onder de grill liggen.'

'*Chicken in the basket*,' mompelt Boef met het accent van de Zweedse chef uit *The Muppet Show*.

'Ah, kijk, daar hou ik van. Een lekkere malse kip. Die moeder van jullie weet wat lekker is, wat ik je brom.'

Hij geeft mijn moeder een klap op haar kont. Ze doet even haar ogen dicht en gaat verder.

'En in de koelkast heb ik nog ricottamousse met aardbeien staan. *Ricotta di fragole*.'

Ze spreekt het zorgvuldig uit. Zodat we allemaal kunnen horen dat ze accentloos Italiaans spreekt. Dat is niet zo, maar als ze er een beetje op oefent komt ze een heel eind. Mijn moeder doet graag alles heel erg goed, en dat heeft geresulteerd in het feit dat ik nooit iets goed doe. In elk geval niet in de ogen van mijn moeder. En uiteindelijk, moet ik toegeven, ook niet in de ogen van mezelf. Een kind kopieert het gedrag van zijn ouders, dus waar mijn moeder geen goedkeuring voor mij kan opbrengen, lukt het me ook niet om enige goedkeuring voor mezelf op te brengen. Ik weet het, ik probeer het anders te doen, en het lukt me best heel vaak, maar hier aan tafel voel ik van alles opborrelen; gedachten, gevoelens, waarvan ik dacht dat ik ze achter me had gelaten.

'Je rozen staan er mooi bij, mam.'

Laat ik iets aardigs zeggen. Doe met de ander wat je graag zou willen dat ze met jou doen. Nee, hoe is die uitdrukking? Wie goed doet, goed ontmoet. Ik heb het geven van complimenten moeten leren. Ik heb het niet van huis uit meegekregen. Het enige wat ik van huis uit heb meegekregen, is dat ik geen papiertjes op straat mag gooien. En dat ik netjes met twee woorden moet spreken. Jawel, mevrouw, jawel, meneer.

'Dank je,' zegt mijn moeder. 'Het vraagt veel zorg en aandacht, maar het resultaat is er dan ook naar.'

Ze draait zich om en bewondert de rozenstruiken achter in de tuin. Mijn moeder is behalve quiltster ook verwoed rozenteler. Eigenlijk is mijn moeder een verwoed liefhebster van alles wat met geduld en precisie moet gebeuren. Ze is een zoektocht naar perfectie begonnen in de hoop dat als ze dat vindt, het de pijn in haar hart zal verzachten. Maar perfectie bestaat niet. *Perfection is in the eye of the beholder.* Ik heb ook jarenlang achter het perfecte plaatje aan gehold om erachter te komen dat alles in deze wereld een keerzijde kent, wat het door ons begeerde mooie plaatje imperfect maakt. We dromen onze dromen, maar we dromen er de donkere kant niet bij. *How can you have a day without a night*? En dus is het voor diegenen die van perfectie houden nooit genoeg en valt alles altijd tegen. Robbert was ook een perfectionist, ik ben er bijna aan ten onder gegaan. Ik heb ooit gezegd dat ik graag een man wilde die groter en sterker was dan ik, dat ik graag hard werkte in een relatie, maar je kunt het ook overdrijven. Of is het de jeugd? Dat kan natuurlijk ook. Jeugdige overmoed. En met het klimmen der jaren stel je andere prioriteiten en op een dag kijk je naar de man die achter zijn krant zijn boterham met hagelslag eet en vraag je je af waarom je in godsnaam ooit hebt gedacht dat deze man je gelukkig kon maken. Illusies. We bouwen ons hoofd vol met illusies, ze zijn de drijfveer van ons handelen. Het streven naar beter houdt ons in beweging, het houdt ons levend tot we er dood bij neervallen. Ik ben niet perfect. Dat is reuze jammer, maar het is niet anders. Perfectie bestaat niet, dus je kunt zoeken tot je een ons weegt. Het geeft je wat te doen in je leven. Dat wel. En je maakt het leven van je kinderen tot een hel. Dat ook. Levenskunst heeft alles te maken met het omarmen van imperfectie, een wijsheid die zo te zien nog niet is ingedaald bij mijn moeder. Maar het levert wel een mooi rozenbed op. Dat moet gezegd.

'Ze zijn niet zo mooi als vorig jaar, de bloemen zijn een stuk kleiner en er zitten bruine randjes aan. Het systeem is niet goed afgesteld, waardoor ze toch iets te weinig water hebben gehad.'

'Nou, ik vind ze mooi. Ook met een bruin randje vind ik ze mooi.'

'Ik ook,' valt Rig me bij, 'ze zijn prachtig.'

'*Ik stuur je dit boeketje rode rozen, een voor elke kus die jij me gaf, toebiedoebiedoebiedoe*,' zingt Boef.

'Hè, hou nou toch es op met dat flauwe gedoe,' roept Sonja.

'Laat hem toch, wat maakt het uit,' mompelt Anton met een mond vol paté en kruidentaart. Een uitstekende combinatie *by the looks of it.*

19

SOMEWHERE OVER THE RAINBOW

In de verte hoor ik het geklingel van de pony's van de buurman. Ze lopen allemaal met een koeienbel om. Ik vraag me af of ze daar geen last van hebben. Het lijkt me niks om met elke stap die je zet een grote smeedijzeren bel vlak bij je oor te horen klingelen. Dat zou niks voor mij zijn. Gelukkig ben ik geen pony. Of een koe. Gelukkig ben ik geen punaise, ik wil het weleens als een mantra opzeggen in tijden van nood. Gelukkig ben ik geen punaise. Alles om maar geen nare gedachten toe te laten.

Als ik hier ben geef ik ze elke dag een appeltje. Een appeltje en een aai. Als ik aan kom lopen, rennen ze naar me toe. In het begin waren ze schuw, maar na verloop van tijd raakten ze aan me gewend en duwden hun kop tegen mijn hand ten teken dat ik door moest gaan met het strelen van hun neus. Ik neem hun kop in mijn twee handen en geef een kus op hun voorhoofd waarbij ze even hun ogen sluiten. Dan ben ik even heel dicht bij die mooie, grote, bruine ogen en voel ik hoe intens lief deze dieren zijn. Ze zijn geboren om lief te zijn, te grazen en om prooi te zijn. Er zijn prooidieren en roofdieren. Prooidieren zijn alleen maar lief. Er zit niets kwaads in een hert, of in een giraffe en ook niet in een pony. Goed, er wil wel es een valse pony rondlopen die te veel vervelende kinderen op zijn rug heeft gehad en die bijterig is geworden, maar dat komt door mensen, de invloed van mensen is in veel gevallen jammer genoeg niet zo goed voor dieren. Prooidieren moet je benaderen zoals ze zijn; alleen maar lief.

'Heb je een beetje verstand van Italiaans eten?' vraagt mijn moeder aan Rig.

'Een beetje, maar Iris spijkert me snel bij.'

'Bijspijkeren, ja, dat kun je wel aan Iris overlaten. Iris is ons klusjesdier, hè Iris,' zegt mijn vader en hij draait een poot van de citroenkip die mijn moeder zojuist op tafel heeft gezet.

Ik heb geen idee waar dit op slaat, werkelijk niet, echt geen idee. Ik kan nog geen spijker in de muur slaan.

'Hoe lang kennen jullie elkaar?' gaat mijn moeder verder, zonder acht te slaan op mijn vader.

'Wat doe je voor werk? Vertel es iets over jezelf. Wat doet je vader?'

'Mam.'

'Is dat nou zo'n gekke vraag?'

'Ik wil best iets over mezelf vertellen,' zegt Rig, en hij legt zijn bestek neer.

'Zullen we gewoon gezellig gaan eten?' onderbreek ik hem. 'Hier, neem wat salade, die is lekker.'

Ik houd de schaal onder zijn neus.

'Ik ben benieuwd, ik ben gewoon benieuwd, meer niet,' zegt mijn moeder op hoge toon.

Ze heeft zin om te klessebessen, zo lijkt het. Je bent niet benieuwd, je wilt weten hoe je hem kunt inschatten, hoe je hem moet plaatsen. In plaats van je gevoel te laten spreken wil je weten welk cijfer je hem kunt geven, in welke categorie hij geplaatst moet worden. De hiërarchie moet worden vastgesteld. Geef hen geen kans. Geef hen geen kans.

'Ma, die jongen is net binnen,' zegt Sonja.

Jongen?

'Ik denk dat ik ook wel wat van die citroenkip lust, Thérèse.'

Boef begint te zingen.

'Somewhere over the rainbow. Skies are blue, and the dreams that you dare to dream, really do come true.'

Zijn stem galmt over de vallei.

'Hou op,' roept mijn vader. 'Ze kunnen je verderop horen.'

'Dat is ook de bedoeling. Ik zing goed. Iris, zeg nou zelf,

zing ik goed of niet? Jij kunt het weten.'

'Ja, Boef, je zingt fantastisch.'

We hebben samen in een bandje gezeten. Hij zong en speelde gitaar. Ik speelde drums. Uitsluitend omdat het me in de gelegenheid stelde om les te krijgen van Thor, een stoere, donkere adonis die alle meisjes kon krijgen die hij wilde en mij niet zag staan, al sloeg ik nog zo hard op de drum. Ik heb me de blaren gedrumd, doch zonder enig resultaat. Thor was een jongen die viel op vlees; grote borsten, dikke billen. Die had ik niet. Dat was nou pech hebben. Waarschijnlijk was hij ook niet al te snugger, dat bedenk ik nu, maar destijds was het behoorlijk traumatisch om zo niet gezien te worden. Ik heb er een leuk potje door leren drummen, dat dan weer wel. Al ben ik motorisch te gestoord om echt een goede drummer te worden, het afzonderlijk gebruiken van handen en voeten heb ik nooit echt onder de knie gekregen. En met het groeien van de ambitie van Boef om zijn band tot iets groots te maken, werd ik vervangen door een echte drummer. Een fanatiek, kaal, klein, gefrustreerd mannetje. Die al zijn frustraties op de drumvellen botvierde, en voor zoveel spanning in de band zorgde dat deze een jaar later uit elkaar klapte, wat meteen het einde betekende van de muzikale carrière van Boef. Niet ondenkbaar dat hij zelf deel had aan de polemiek. Het is maar goed dat hij geen broer heeft, of misschien had hij wel een broer moeten hebben, dan had hij een band als Oasis kunnen beginnen. Goeie muziek en veel ruziemaken ongeacht de volgorde. Dat zou wel iets voor hem geweest zijn.

Mijn vader schenkt een glas wijn in.

'Hup, aan de wijn, en geen geproost met water want dat brengt ongeluk en dat kunnen we niet gebruiken. Ongeluk genoeg in de wereld.'

Hij duwt een glas wijn in mijn handen. Rig tikt met zijn glas tegen het mijne, kijkt me aan en glimlacht.

Houd moed en nergens iets van aantrekken, glimlach ik hem tegemoet. Hij doet zijn ogen even dicht ten teken dat hij de boodschap heeft ontvangen.

We heffen het glas. 'PROOST,' roepen we in koor. 'Op een heel gezellig weekend.'

En een heel gezellig weekend zal het worden. Jippiejajee.

20

BLOED VAN JUPITER

We zitten in het licht van de ondergaande zon onder de – ik kijk omhoog – tja, wat zijn dit eigenlijk voor bomen? In tegenstelling tot mijn moeder heb ik niet van die groene vingers. En ook geen groene ogen, ik kan niet aan de vorm van een blaadje zien wat voor soort boom het is.

'Wat zijn dit eigenlijk voor bomen, mam?' vraag ik, terwijl ik omhoogkijk.

Mijn moeder kijkt me verbaasd aan.

'Dat vraag je nu? Terwijl we dit huis al vijfenveertig jaar hebben?'

'Ja, ik heb er nog nooit bij stilgestaan. Kijk, dat daar zijn citroenboompjes. Dat is duidelijk, want de citroenen hangen er als peren zo groot aan. Samen met de kleine limoentjes die dus eigenlijk onrijpe citroenen zijn. Wist jij dat?' Ik kijk Sonja even verwachtingsvol aan. 'Dat limoenen onrijpe citroenen zijn? Grappig, hè, en dat terwijl limoentjes veel lekkerder zijn dan citroenen. Het komt niet vaak voor volgens mij, dat onrijp fruit lekkerder is dan rijp fruit. Maar dat daar zijn dus citroenbomen, da's makkelijk. Maar deze bomen, geen idee.'

'Dit zijn platanen.'

'Platanen? Goh.'

Plots worden er twee handen voor mijn ogen gehouden.

'Boe! Rara, wie ben ik?'

'Ik denk Meneertje Koekepeertje.'

'Nee, stommerd, ik ben het.'

Clyde, oftewel Herman, mijn neefje, staat achter me.

'Hé gozer, ben je daar eindelijk.' Ik haal mijn handen door zijn haar en geef hem een zoen op zijn wang.

'Waar is je zus?'

'Die komt er zo aan.' Hij praat keurig met een heet krielaardappeltje in zijn keel.

Bonnie komt aangerend en duikt in mijn armen.

'Veel te lang niet gezien,' mompelt ze.

'Ik weet het, schat, sorry.'

'Is Robbert er niet?' vraagt Herman.

'Jongens, mag ik jullie even voorstellen; dit is mijn nieuwe vriend.'

'Cool,' zegt Bonnie. 'Hoi,' zegt Herman.

'Jongens, pak maar een bord en schep wat op.'

'Mogen we dan weer naar beneden?'

Sonja kijkt mijn vader aan.

'Vooruit maar jongens, aan tafel met grote mensen, daar is niks aan.'

'Wat zitten jullie te kijken?' vraag ik.

'*Shrek* een, twee, drie, vier en vijf.'

Dat zou ik ook wel willen.

Mijn vader tikt met zijn mes tegen zijn glas en staat op.

'Ik wil even iets zeggen.' Hij neemt een slok wijn. En nog een. 'Heerlijke wijn. Potverdriedoosjes, wat een lekkere wijn. De Sangiovese druif. Onovertroffen. Heb je verstand van wijn?' vraagt hij Rig.

'Een beetje,' antwoordt de schat.

'Een beetje? Is er ook iets waar je veel verstand van hebt? Nou, dan zal ik je even een spoedcursus vinologie geven, want wijn is een belangrijk onderdeel in deze familie.'

En dat is zacht uitgedrukt, al zeg ik het zelf. Ik kijk Boef aan, die blaast lucht in zijn wijn en doet het bubbelen.

'Wij maken zelf onze wijn. Zie je die druiven daar? Die moet je zo es proberen. Dan weet je niet wat je proeft. Chianti, Brunello en Morellino di Scansano, de drie grootste wijnen van Toscane, hebben allemaal een karakteristieke, volle, pure druivensmaak, ze zijn allemaal even goed en allemaal komen ze van de Sangiovese druif. Maar zoals Voltaire al zei: "De beste wijn komt uit Montepulciano bij Siena, de Vino Nobile di Montepulciano." We hebben hier drie hectare wijngaarden. De wijn die nu in je glas rolt laten wij hier in het dorp maken van onze druiven. Het woord Sangiovese stamt af van *sanguis*, dat is Latijn voor "bloed" en van "Jupiter" – bloed van Jupiter. Jupiter is de oppergod van de hemel en het onweer. De plaatselijke Sangiovese wordt Prugnolo Gentile, aardig pruimpje, genoemd. Dat moet jou toch aanspreken.' Hij geeft Rig een knipoog.

'Schenk nog maar eens vol. Vul de kelken.'

Hendrik de achtste. Mijn vader had Hendrik de achtste kunnen zijn, maar dan bedoel ik niet de vertolking van Jonathan Rhys Meyers want zo zag Hendrik de achtste er volgens mij niet uit. Dat is bedacht door de producenten om de serie lekker sexy en geil te maken. Volgens mij was Hendrik de achtste een zweterige, corpulente man. Niks geil. Met een baard, en in de jaren zeventig meesterlijk vertolkt door Keith Michell. Die stem. Mijn vader heeft ook zo'n stem. Hij gaat door merg en been. Die stem doet een trein stilstaan. Albert Finney in de film *The Dresser* had mijn vader kunnen zijn. *Stop that train*. En de trein stopt. Mocht er ooit een film gemaakt worden over mijn familie (wat geen slecht idee zou zijn) dan moet Albert Finney de rol van mijn vader spelen, in zijn jonge jaren een onthutsend knappe man met een gezicht dat een portret van Rafaël had kunnen zijn. Nu heeft hij een aardbeineus en rode plofwangen van de drank. Mijn vader vindt hedendaagse vrouwen slechte moeders die alleen maar aan hun carrière denken. Mijn vader geeft internet de schuld van alles. Hij vindt dat vrouwen niet kunnen schrijven, fotograferen, schaken, componeren, of überhaupt logisch nadenken. Mijn vader vindt ook dat vrouwen helemaal niet minder waard zijn dan mannen, zolang ze zich maar als een echte vrouw gedragen.

Mijn moeder vult zijn glas bij. Dat doet ze trouw. Al jaren. Ze schenkt ook zichzelf nog even bij met de witte wijn. Nooit rode wijn voor mijn moeder, alleen witte. Van rode wijn krijg je verkleuringen op de tanden en dat kunnen we niet hebben. Eén kopje koffie per dag om dezelfde reden. Verder drinkt ze witte thee, witte thee is gezond. En witte wijn, dat is ook gezond. Volgens mijn moeder dan. En wodka. Is ook gezond. En reukloos. Een niet onbelangrijk detail. Drink wodka en niemand heeft door dat je alcohol hebt gedronken. De instabiele staat van zijn zal worden geweten aan iets anders, aan een vrolijke doch labiele natuur, misschien een milde vorm van epilepsie, een die zich niet wraakt in een aanval, maar alleen wat motorische storingen doet ontstaan. Soms drinkt mijn moeder wodka in combinatie met valium, ook zoiets heerlijks, darvon, darcovet, percodan, en een beetje xanax *for fun*. Waar zouden we zijn zonder valium? Ik kreeg het als meisje van dertien al, om me lekker rustig te maken. Die puberteit die hakte er zo in, daar werden kinderen zo obstinaat van, vond mijn moeder. Een pilletje en ze had geen omkijken naar de kinderen. Het verhaal gaat dat ze Boef in de wieg theelepeltjes cognac heeft gegeven om hem lekker te laten doorslapen.

'Maar ik ging dus iets zeggen.' We kijken allemaal verwachtingsvol naar mijn vader. Ik ben echt reuze benieuwd. Hij heeft nog nooit gesproken bij een familiediner. Niet dat we er veel hebben gehad natuurlijk. Toen we klein waren was hij zelden thuis tijdens het eten en daarna was meestal een van ons afwezig. Soms waren we er geen van allen. Het is vanwege de gewichtige, gebiedende uitnodiging dat we hier allemaal zijn.

'Ik ben een rijk mens,' zegt mijn vader terwijl hij zijn glas nog hoger houdt.

Altijd goed om te weten. Ik hoop dat er wat overblijft. Ga verder.

'Ik ben niet alleen een rijk mens, ik voel me ook een rijk mens, en daar gaat het om. Het is lang geleden dat we bij elkaar zijn geweest. En dat wil ik vieren. Dat wil ik vieren met de mensen die mij een rijk mens maken. Ik heb dit speciaal zo gewild, zonder andere gasten erbij, alleen ons gezin. Op deze leeftijd begin je je bewust te worden van je eindigheid en daar wilde ik bij stilstaan. Ik wilde wat qualitytime met jullie doorbrengen. Met mijn kinderen. En mijn kleinkinderen.'

'Daar ben je lekker vlot mee,' mompelt Boef in zijn glas. 'We zien elkaar te weinig en daar moet verandering in komen.' Nu? Waarom nu? Uitgerekend nu ik op het punt sta de navelstreng door te hakken en ik het leven van mijn keus wil gaan leiden, komt mijn vader op het lumineuze idee om de boel es aan te halen. De banden. De knellende banden. Die verdomde banden. Liever niet. Het ging goed zoals het ging, het ging prima, *why change a winning team*?

21

TIME FLIES WHEN YOU'RE HAVING FUN

Liefde is luxe, ik heb het mijn vader vaak horen zeggen, daar doen wij niet aan. Wij hebben dit allemaal niet bij elkaar verdiend door in luxe te leven; er moet gewerkt worden, offers gemaakt, er dienen lasten op schouders te worden genomen, verantwoordelijkheden. Liefde, wat nou liefde, liefde bestaat alleen in boekjes. Wij maken wel uit wat er gebeurt, want wij weten hoe het moet, wij kennen het leven. Doe maar gewoon, dan doe je gek genoeg. Op mijn zestiende vertelde ik mijn vader dat ik fotomodel wilde worden. Hij zei niets. Twee dagen later bracht hij een cadeautje voor me mee. Toen ik het openmaakte zat er een boek in met de titel *Fotomodel... voor mij hoeft het niet.* Ik denk niet dat ik fotomodel wilde worden. Ik wilde mezelf bevrijden van wie ik was, ik wilde iemand anders worden, iemand die niet in de wurggreep van haar vader leefde. Ik wilde iemand worden die deed wat ze wilde in plaats van iemand die deed wat haar opgedragen werd. Nog veel liever wilde ik naar de kunstacademie. Maar daar kon geen sprake van zijn. Met kunst viel geen droog brood te verdienen volgens mijn vader, wat meteen zijn vertrouwen in mijn talenten aangaf. Ik ben communicatie gaan studeren en in de reclamewereld terechtgekomen. Korte tijd later kwam ik Robbert tegen. Robbert was een goede keus, vond mijn vader, een goede partij. Dus feitelijk ben ik met hem getrouwd om het mijn vader naar de zin te maken. Maar ik was ook heel erg gek op hem. We waren een prachtig stel; hoe vaak dat niet over ons werd gezegd. Robbert was ook een knappe, voorkomende man. Alleen was zijn voorkomendheid louter professioneel. Thuis, in huiselijke sfeer, wilde die voorkomendheid alleen nog de kop opsteken wanneer hij zin had in seks. Mijn ouders hebben zich nooit verdiept in hoe hij mij behandelde. Het plaatje zag er goed uit en dat moest vooral zo blijven. Ik had geen idee dat het ook anders kon. Sinds Rig in mijn leven is heb ik besloten dat God bestaat en dat hij ervoor heeft gekozen om mij Rig in de schoot te werpen. Want zo voelt het. Als een godsgeschenk. De ellende is alleen dat ik heel slecht ben in het ontvangen van cadeautjes. Ik zal je de vele details besparen maar één voorbeeld kan ik wel geven; ik heb ooit een lullig roze en vooral heel lelijk paasei van Robbert gekregen en in elkaar gestampt, puur uit woede om de lelijkheid van het paasei. Ik begreep niet hoe hij me dit kon geven. Het leek wel of het een relatiegeschenk was wat hij aan mij gaf, omdat hij vergeten was iets voor me te kopen. Maar ik krijg liever niets dan iets lelijks, en dat had hij moeten weten. Niettemin was het een cadeau en ik heb het in de grond gestampt in een aanval van 'Eens zal het perfecte komen'. God weet wat ik doe met een cadeau waar ik blij mee ben. Ik sta niet altijd voor mezelf in wat dat betreft. Geluk zal nooit begrepen worden door ons verstand en het verstand zal het ook nooit goed genoeg vinden. Dat is de aard van het verstand.

Mijn vader schraapt zijn keel.

'Morgen word ik vijfenzeventig jaar, ongelofelijk zo snel als de tijd is omgevlogen. Ik herinner me nog als de dag van gisteren dat we zomervakantie vierden en ik zie nog hoe jullie over het grasveld renden toen jullie klein waren.'

'Door wie werden we achternagezeten?' vraagt Boef. Nonchalant veegt hij een lok haar uit zijn ogen.

'Wat bedoel je?'

'Nou, in gedachten zie je ons over het grasveld rennen, dan denk ik meteen: welke onverlaat zat die arme kinderen achterna? Het is zomaar een gedachte, zomaar een idee.'

'Wat is dat nou weer voor onzin. Je brengt me helemaal in de war. Hou toch je mond, ik ben aan het speechen,' bromt mijn vader. 'Nou, waar was ik?'

‘Dat het ongelofelijk is zoals de tijd is omgevlogen,’ zegt Sonja.

‘Time flies when you’re having fun, break his heart, break her heart,’ zingt Boef.

‘Ja, inderdaad. Nou, ik wilde even zeggen dat ik het heel fijn vind dat jullie er allemaal zijn. Morgen wordt een heugelijke dag. Ik weet dat ons gezin zo zijn ups en downs heeft gehad,’ hij houdt even stil en kijkt Boef aan, ‘maar dit weekend gaan we het leuk hebben. Of we willen of niet.’

Hij lacht. Als enige. Hoe erger de vader zich gedraagt, hoe meer de kinderen tegen hem opkijken. Het maakt niet uit hoe gestoord je bent als vader, je kinderen houden van je, zolang je ze niet slaat. Het heeft lang geduurd voor ik doorhad dat mijn vader niet overal het antwoord op wist en zich er ook maar op zijn manier doorheen sloeg. Letterlijk en figuurlijk.

‘Proost.’

‘Proost.’

Iedereen kijkt lachend naar het glas van mijn vader dat hij aan zijn mond zet en waarvan hij de inhoud in één keer naar binnen gooit.

Ik zet het geluid zacht, maak me los en zweef boven de tafel. Ik zweef boven het gezelschap. Ik heb een instinct ontwikkeld om in alles de beurse plekken te ontdekken. Ik merk altijd heel snel dat een huwelijk bestaat uit een persoon plus nog een en nooit uit twee. Ik zoek altijd naar wat vloekt en schuurt. Boef, met de treurige ogen en de lachende mond. Sonja, altijd hoopvol en teleurgesteld tegelijk. Anton die zich heeft verzoend met zijn eenzaamheid ernaast. Mijn moeder heeft het opgegeven, geen idee hoe lang geleden. Het leven is haar te zwaar. Ze heeft zichzelf uitgezet. Ze vecht niet, ze vlucht niet, ze glimlacht, knikt, babbelt, is perfect en drinkt witte wijn. Ze haalt een enkele keer uit met scherpe nagels. Maar niet vaak. Daarvoor is ze te verdoofd. Mijn moeder houdt zichzelf in een diepe slaap. Ze houdt afstand. Van ons en van zichzelf. Ik weet niet of ik haar ooit anders heb gekend. Ik kan het me niet herinneren. Net als mijn vader trouwens, al lijkt het niet zo. Het lijkt alsof hij wakker is omdat hij veel lawaai maakt, maar dat is niet zo. Hij maakt veel lawaai, om te maskeren dat hij diep, diep in slaap is. Gedrogeerd en genarcotiseerd, alcohol is een drug, alcohol verdooft. Ik zal het voor de lol straks es zeggen, moet je kijken hoe hij reageert. Dan is hij opeens klaarwakker. Neem hem zijn alcohol af, en hij is klaarwakker. Mijn vader leeft op sterk water. En iedereen weet dat je op sterk water niet kunt leven. Dode dieren worden op sterk water gezet, geen levende dieren. Maar breng dat mijn vader maar es aan zijn verstand. Het was ieder voor zich bij ons thuis. Het was vechten om de aandacht. Er was niet genoeg voor ons allemaal. Mijn ouders waren fysiek aanwezig, maar niet met hun gevoel. Ze hebben zichzelf lang geleden afgesneden van hun gevoel. Mijn moeder deed wat ze nodig achtte. Ze deed haar best. Ze maakte quilts. Daar kon ze urenlang zoet mee zijn. Mijn vader was aan het werk. Als hij thuiskwam, lagen wij meestal al in bed. Herinneringen. Ik heb weinig heldere herinneringen. In mijn hoofd liggen fragmenten, dia's en korte filmpjes opgeslagen.

Harde stemmen. Getreiter. Spanning. Onveilig. Over het hoofd gezien. Dat was altijd handig. Over het hoofd gezien worden kwam soms goed uit. Onder de bank mijn toevlucht zoeken om geen nare dingen te hoeven zien of horen. Harde stemmen. Gegil.

Ik zweef boven de tafel. Iedereen lacht. Iedereen doet zijn best om gelukkig te zijn. Omdat vader het wil.

'Het begint koud te worden, jongens. Laten we naar binnen gaan.'

Als Rick de kikker zingen wil, Rikkerdekikkikkik.

22

EVERYBODY'S GOT A HUNGRY HEART

'Ik heb de lichtblauwe kamer voor jullie klaargemaakt,' zegt mijn moeder terwijl ze de luiken voor de ramen doet. De lichtblauwe kamer was de vorige keer nog roze. Mijn moeder volgt de laatste woontrends op de voet.

'Welterusten.' Ze klopt met haar vlakke hand op mijn rug. Net iets te hard. Mijn moeder heeft de eigenaardige gewoonte om te kloppen in plaats van te aaien. Zo klopt ze ook altijd mijn Nouba op zijn kop, die zich chagrijnig laat bekloppen en bij elke klop uit louter berusting even zijn ogen sluit. Ik doe hetzelfde.

'Welterusten, mam.'

'Welterusten, Rick.'

'Welterusten, mevrouw.'

'Zeg maar Thérèse.'

'Truste Thérèse.'

Rig gooit de koffer op bed en grinnikt.

'Dat was een interessante avond.'

'Vond je?'

'Ja. Ik heb me uitstekend vermaakt. Het was alsof ik in een stuk van Edward Albee was beland.'

'*In wankel evenwicht*. Ik ben bang dat mijn familie niet eens in wankel evenwicht is. Ze zijn gewoon volledig uit balans.'

'Dat maakt het ook leuk, toch? Ik heb wel gelachen. Die vader van jou is wel een portret.'

Zo kun je er ook naar kijken.

'Kom es hier.' Hij spreidt zijn armen. Ik loop naar hem toe. Hij slaat zijn armen om me heen en wiegt me even heen en weer.

'Schatje. Ik heb je gemist vanavond.'

Mijn ogen beginnen te prikken.

'Ik jou ook.'

Hij geeft me een zoen op mijn voorhoofd.

'Ik ga even douchen.'

Hij loopt de badkamer in.

'Dit huis lijkt wel een hotel. Er hangen zelfs twee badjassen in de badkamer.'

'Ja. Het hele huis is prachtig. Het is mijn moeders lust en haar leven. Ik zal je morgen wel een rondleiding geven.'

Even later hoor ik het water stromen en hij begint te zingen. Het is geen liedje dat ik ken. Misschien iets wat hij zelf heeft gecomponeerd. In de muur naast het bed is een kleine nis. Er staat een vaasje met anemonen en een flesje geurwater met stokjes en een foto. Ik pak de foto. Ik zit bij mijn vader op schoot en zwaai. Vermoedelijk is de foto door mijn moeder gemaakt. Mijn ogen zijn groot en helder. Ik kijk ongelofelijk blij. Ik zie een levenslust en een blijdschap in mijn gezicht die ik me van geen enkel moment in mijn jeugd kan herinneren.

'Zou je mijn toilettas even aan willen geven?' roept Rig vanuit de badkamer.

Ik maak de koffer open, haal zijn toilettas eruit en kijk om het hoekje van de badkamer.

'Voilà.'

Hij loopt naakt door de badkamer terwijl hij zijn oren met een wattenstaafje schoonmaakt en zich tegelijkertijd afdroogt. Een beetje. Rig zou zich liever uitschudden en zich laten drogen in de wind zoals een hond doet. Ik houd ervan om naar hem te kijken. Zijn trage bewegingen, zijn stille in zichzelf gekeerde gezicht, bijna nors, dat onverwacht uitbundig kan zijn. We lijken in veel opzichten op elkaar. We houden van dezelfde dingen. Van warmte, van rust, van vroeg naar bed gaan en urenlang vrijen. Rig is van een beminnelijkheid en een tederheid die ik nog nooit in een man heb meegemaakt. Ondanks zijn hartstochtelijke ruwheid in bed. Wild en hartstochtelijk in bed, beminnelijk en teder daarbuiten. Hij is de eerste man die ik ken die lief niet verwart met een zacht ei zijn. Die me in bed niet behandelt alsof ik van suiker ben. Hij is teder, maar er is geen twijfel aan dat hij een man is. Er was sprake van instinctieve aantrekkingskracht, een hond zou kunnen reageren zoals ik deed toen ik hem die eerste keer zag. Hij heeft een weldadige uitwerking op mijn ziel. Robbert bekritiseerde me altijd, ik was te dik of te dun, te lief of te onaardig, maar deze man prijst mijn vrolijkheid, humor en optimisme. Ik word niet langer beoordeeld, maar bemind. Hij is de liefste en zachtste man die ik ken. Misschien heeft het tijd nodig gehad om zo'n man te waarderen. Misschien heeft het met hormonen te maken. Vroeger zou ik hem waarschijnlijk saai hebben gevonden, maar als je maar lang genoeg onder druk staat is ontspanning op een dag van zo'n weldaad dat je het omarmt en nooit meer anders wilt.

23

I BET YOU SAY THAT TO ALL THE BOYS

Ik haal wat kleren uit mijn koffer en hang ze in de kast. Voor de feestelijke verjaardagsavond heb ik een rode jurk van Diane von Fürstenberg meegenomen. Met een laag decolleté en een klokkende rok, heel Italiaans. Ik doe de luiken weer open en kijk uit over de vallei en de honderden lichtjes. Verliefd worden brengt ons rechtstreeks naar het hart van onze honger - onze honger naar betekenis, naar comfort, naar tevredenheid, naar veiligheid. En hoe minder je daar in je jeugd van hebt gehad, hoe groter, hoe onstilbaarder de honger. Zomaar een gedachte die in me opkomt wanneer ik in de donkere nacht kijk.

'Je bent mooi.'

Ik draai me om. Hij staat in de deuropening geleund. Hij heeft zich uitgekleed en de witte badjas die in de badkamer hangt aangetrokken. Ik kijk naar hem. Wat houd ik toch van zijn kuiten. Hij heeft heerlijke kuiten.

'Nu zou ik een sigaret moeten roken, vind je niet? Dan is het net een Franse film.'

Ik begin te lachen.

'Zal ik op bed gaan liggen en je verwend, verveeld en daardoor reuze koket bevragen over welke delen van mijn lichaam allemaal mooi zijn, zoals Brigitte Bardot in *Le Mépris* deed?'

'Brigitte Bardot ken ik, dat is die vrouw van de zeehondjes, maar *Le Mépris*, sorry schat, dat was voor mijn tijd.'

'Ken je klassiekers.'

'Daar heb ik jou voor. Jij mag me bijspijkeren. Jij bent toch het klusjesdier van de familie.'

'Waar dat nou op sloeg?'

'Ach, laat hem. Het is een leuke man, toch? Hij bedoelt het goed.'

'Het is geen leuke man, en hij bedoelt het ook niet goed.'

Ik zeg het onverwacht fel.

'Hee, hee, rustig maar.'

'Ik heb zin in een sigaret. Ik wil roken. Net als in de film, ik wil het net als in de film.'

'Wat is er?' vraagt hij.

'Wat er is? Niks. Er is niks.'

'Je was zo stil vanavond en je kijkt zo stuurs.'

Ik sla mijn armen over elkaar en glimlach.

'Zo beter? Ik ben een beetje moe. Dat is alles.'

'Waarom vertel je me nooit iets over je familie? Je hebt het er nooit over. Je vader is ondernemer en zit tegenwoordig in vastgoed, je moeder is huisvrouw met veel hobby's, en dat is het wel zo'n beetje.'

'Dat is genoeg lijkt me zo. Er is verder niet veel wat je moet weten.'

'Ik heb het gevoel van wel.'

'Toch is dat niet zo.'

Er is heel veel wat je niet mag weten. Ik vertel niets omdat ik niet wil dat het verleden een rol speelt. Als ik erover vertel wordt het levend, dan wordt het verleden levend, dan ga ik het verleden voelen, dan richt het zich op en maakt alles stuk. Dan wordt het verleden in mij wakker en ik wil het slapend houden. Ik wil het pijnlichaam slapend houden. Niet wakker maken, niet over praten. Veel beter. Hij zal me met andere ogen gaan bekijken. Ik wil dat hij me ziet zoals ik nu ben, niet zoals ik ooit ben geweest. Ik wil dat hij me ziet zoals ik gezien wil worden, niet zoals ik ben. Niet zoals ik ben. Hij zal niet van me houden als hij ziet wie ik ben. Alleen nu. Alleen nu telt. Ik praat er niet over. Dit is belangrijk. Als ik erover praat en het gaat mis dan verlies ik iets. Dan verlies ik de onschuld.

Rig laat zich achterover op bed vallen.

'Net als in de film,' zeg ik, 'dan maar een Nederlandse.'

Ik loop naar het bed toe en ga op het voeteneind staan, spreid mijn armen en laat me op hem vallen. Hij slaat zijn armen om me heen. Ik leg mijn hoofd op zijn borst en ontspan. Hij streelt over mijn haar.

'Wie liggen hiernaast?' Hij knikt naar links.

'Mijn ouders.'

'Zo, dat is niet zo best. Dus we moeten zachtjes doen. Of doe jij het niet in het huis van je ouders?'

'Die deuren daar zijn geïsoleerd.'

De lichtblauwe kamer grenst aan die van mijn ouders en wordt afgescheiden door dubbele deuren die mijn ouders in een ver verleden hebben laten capitonneren met een dikke laag schuimplastic.

'Geïsoleerd?'

'Ja.'

'Dat is gek. Heeft je vader een muziekstudio op zijn kamer? Of een drumstel? Waarom zijn die deuren in godsnaam geïsoleerd?'

'Geen idee. Het is al zo zolang ik me kan herinneren.'

Dat is niet helemaal waar.

Ik herinner me precies wanneer het schuimplastic erop is gekomen.

Het viel tegelijkertijd met de dag dat Boef bij me in bed begon te kruipen.

'Is dit altijd jouw kamer geweest?'

'Nee, dit was Boef zijn kamer. Ik sliep in de kamer waar Boef nu ligt.'

Mijn moeder houdt ervan het huis met enige regelmaat te restylen. Ik ken nooit iets terug als ik een tijdje niet ben geweest. Het is alsof herinneringen zich niet mogen opstapelen.

'Sonja en ik sliepen op één kamer.'

Hoofden onder de dekens. Schaduwen op de muur.

Ben jij bang?

Ik ben bang.
Ik ook.
Wat is dat?
Wat?
Ik hoor een geluid alsof er een deur wordt dichtgeslagen.
Dat verbeeld je je maar.

'Is er echt niks?'

'Nee, niks.'

'Je trilt een beetje.'

'Ik tril een beetje omdat ik moe ben en ik heb een beetje te veel gedronken. Maar ik ben vooral heel erg moe.'

'Zijn die deuren geïsoleerd omdat je ouders geen last wilden hebben van het geluid dat uit deze kamer kwam, of omdat ze niet wilden dat het geluid te horen was uit hun kamer? Dat is de vraag.'

Hij trekt mijn shirt omhoog zodat hij mijn rug kan strelen.

'Boef kan een luidruchtig mannetje zijn. Hij speelde vaak gitaar, liefst elektrisch.'

'Het is een wonderlijke gast, die broer van jou. Hij heeft me de hele tijd in de gaten gehouden.'

'Is dat zo?'

'Ja, is je dat niet opgevallen? Hij heeft een enorm pregnante blik.'

'Het is een opmerkzaam mannetje, ja.'

Dat is zwak uitgedrukt. Boef heeft de ogen van een havik. En de bijbehorende scherpe neus. Zowel qua vorm als qua zintuig. Niets ontgaat hem.

'Waar slaapt hij nu?'

'In mijn oude kamer aan de andere kant van de gang, denk ik. Sonja en haar gezin zitten in het gastenverblijf.'

Vlak bij het grote huis staat een schattig stenen huisje dat dienstdoet als gastenhuis.

'Vond je het een zware avond?'

Ik doe mijn ogen dicht en denk terug aan vanavond. Het is alsof ik mezelf heb uitgezet, alsof ik mezelf heb teruggetrokken in een cocon om me niet te laten raken. Opzitten en pootjes geven, glimlachen, nergens iets van zeggen, niet op reageren. Doorademen. Dat is het beste. Ik probeer weer tot leven te komen. Ik adem diep in.

'Nee, het viel wel mee.'

'Het zijn zware mensen, ze zijn geladen, ik voel veel onderhuidse malaise. Kijk me es aan.'

Ik richt me op, hij neemt mijn gezicht in zijn handen, streelt even met zijn duim over mijn wang. Mijn ogen beginnen te prikken. Ik kan zoveel tederheid maar net aan. Misschien beter in slaap blijven. Als ik te wakker en te levend word ga ik me verzetten, dan ga ik voelen en me verzetten tegen wat ik voel.

'Ik heb het wel gezien aan je gezicht. De spanning. Deze mensen zijn heel anders dan jij.'

Ik doe mijn ogen dicht. Nee, dat is niet zo. Ik ben hetzelfde, ik heb mezelf alleen geleerd me anders te gedragen, denk ik. Hoe lang houd ik dat vol? Als je van kinds af aan niet gewend bent aan overvloed, brengt het op latere leeftijd niets dan angst voort.

'Het is lief van je dat je dat zegt,' zeg ik en ik ga weer op zijn borst liggen.

Ik duw mijn neus in zijn hals en snuif zijn geur op. Kruidige muskus gemengd met een vleugje vanille. Ruikt hij zo lekker omdat ik van hem houd of houd ik van hem omdat hij zo lekker ruikt? De paar nachten dat we niet samen zijn geweest liet hij een gedragen T-shirt voor me achter zodat ik zijn geur op kon snuiven voor het slapengaan. Op zijn beurt douchte hij 's morgens niet om mijn geur de hele dag bij zich te dragen. Na een dag door snikheet Londen te hebben gewandeld vroeg hij welk parfum ik ophad. 'Geen,' zei ik. 'Welke deodorant dan?' 'Nee, niks,' zei ik, 'ik heb helemaal niks op.' 'Jij ruikt zo van jezelf?' vroeg hij verbaasd. 'Geen wonder dat ik de hele dag met een erectie rondloop.' Nee, met onze feromonen zit het wel goed. Alle zintuigen rollen spinnend van genot in het rond als we bij elkaar zijn. Kijken, luisteren, proeven, ruiken, voelen. Geen enkel zintuig stribbelt tegen. Wanneer zal het delicate evenwicht verstoord worden? Is het zo dat de liefde geen toekomst heeft? Dat de liefde alleen nú beleefd kan worden en elke gedachte aan een toekomst dodelijk is voor de liefde? Niet denken. Al het denken is angst. Vrijen. Alleen door te vrijen stopt het denken.

'Ik heb een cadeautje voor je,' fluister ik in zijn oor.

'Wat voor cadeautje?'

'Ogen dicht.'

Ik rol van hem af, ga op mijn rug liggen en kleed me uit.

Hij grijnst. 'Is het iets voor mijn hobby?'

Ik maak zijn badjas open en ga op hem zitten.

'Doe je ogen maar open.'

'Baby.' Hij kijkt me verrukt aan en laat zijn handen over mijn dijen glijden. Tijdens het dessert ben ik naar boven gelopen, heb een snelle douche genomen en een rood korset met jarretelles en zwarte kousen aangetrokken.

'Mooi?'

'Een Italiaanse film waardig.'

'*Brutti, sporchi, cattivi e la bella*.'

'*Bellissima*.'

Ik buig me voorover en kus zijn lippen en streel zijn borst. Hij heeft een lekkere gespierde borst, sappig en sterk en met gouden haartjes.

'Je hebt de mooiste borst die ik ooit heb gezien,' mompel ik.

'*I bet you say that to all the boys*,' fluistert hij in mijn oor.

Ik laat mijn haar over zijn borst en buik glijden. Lui en traag. Hij kreunt zachtjes. Ik ga terug omhoog, geef hem een zoen en laat me weer naar beneden glijden waarbij ik mijn haar over zijn lichaam laat glijden. Ik streel zijn lul met mijn haar tot hij een erectie heeft.

Ik hoor een geluid. Ik richt me op.

'Wat is dat?'

'Wat?'

'Ik hoor iets. Alsof er een deur wordt dichtgeslagen.'

'Dat verbeeld je je maar.'

Hij streelt mijn beide armen en trekt me zachtjes naar zich toe. Ik buig me weer over hem heen, begin zijn lul te likken, van onder tot boven. Ik neem hem in mijn hand en draai met mijn tong rondjes over zijn eikel terwijl ik hem langzaam in en uit mijn mond laat glijden. Zuigend aan de top, mijn lippen spannen om de rand van zijn eikel om hem dan weer diep in een gelijkmatig tempo in mijn mond te laten glijden. Terwijl ik hem stevig vasthoud en in en uit mijn mond laat glijden laat ik mijn handen over zijn buik en borst glijden, zijn borsthaar strelend. Hij kreunt en kijkt naar me. Dan pakt hij me vast en zet me op zijn gezicht, trekt de drukknoopjes van het korset los en begint me te likken, ik steun tegen het hoofdeinde van het bed. Hij likt me tot ik klaarkom, mijn lichaam schokt. Hij glijdt onder me door, gaat achter me staan, pakt me bij mijn heupen en dringt bij me naar binnen en begint me tergend langzaam te neuken waarbij hij alleen zijn eikel bij me naar binnen duwt. Ik begin te kreunen van genot. Hij legt een hand op mijn mond. 'Zachtjes, anders horen ze ons.' Dan gromt hij: 'Ik hou het niet meer' en duwt met zijn knieën mijn benen verder uit elkaar, grijpt in het vlees van mijn heupen en begint me hard en diep te neuken, net zolang tot ik schreeuwend in het kussen klaarkom. Hij geeft me een klap op mijn achterste, draait me om, gooit mijn benen over zijn schouders en kijkt me in mijn ogen. Ik ontspan en laat zijn stoten op me inbeuken. Dan sla ik mijn benen om zijn heupen, ik span mijn dijen aan, sla mijn armen om zijn nek, begin te bokken en te stoten en we komen tegelijk klaar.

Ik wist dat dit de oererotische ervaring was – een rijpe vrouw en een jongeman die zijn levenslust nog niet had verloren. Mannen verspeelden zoveel kracht aan het vergaren van wereldlijke macht dat hun seksuele kracht eerder opraakte dan bij vrouwen. Vrouwen kregen kracht door hun jaren, hun levensreis, terwijl mannen op een merkwaardige manier leegraakten. Daarom stonden een vrouw van zevenenveertig en een man van eenendertig op gelijke voet. Colette had het geweten toen ze met Maurice naar bed ging die vijfendertig was en zij eenenvijftig. Ze wist het toen ze hem op haar eenenzestigste trouwde en hem haar beste vriend noemde. Dat was het geheim van wijze vrouwen; zij weten langer dan mannen hun levenslont brandende te houden.

24

A BAND OF GOLD

Hij rolt van me af, gaat op zijn rug liggen en gromt zachtjes. Mijn grote, blonde kater. Als hij kon spinnen zou hij het doen. Ik streel zijn borsthaar en zijn hals. Kus zijn wenkbrauw. Ga met mijn wang langs zijn wang, heerlijk raspend door zijn sterke baardgroei, en nestel me in de holte van zijn arm en begraaf mijn gezicht in zijn oksel.

We passen precies in elkaar. Ook al is hij minstens 15 centimeter langer dan ik en een stuk groter, toch passen we in elkaar. Ik lig in zijn armen alsof ik daar hoor. Het voelt alsof ik hem nooit niet heb gekend.

'Jij bent de eerste man bij wie ik zo van seks geniet.'

'Dat zal wel.'

'Het is toch echt zo. Ik heb me nooit eerder zo op mijn gemak gevoeld in bed met een man.'

'Wat zeg je me nou?'

'Nee, ik heb er nooit veel aan gevonden. Soms, bij uitzondering. Te veel spanning zorgt ervoor dat ik geen zin heb, dat ik weinig voel. Mensen zeggen altijd dat er spanning nodig is voor seks, maar bij mij is dat niet zo. Ik moet me volledig kunnen ontspannen. Bij Robbert vroeg ik me altijd af of ik er wel goed bij lag.'

Ik beleefde mijn plezier in mijn hoofd, doordat ik het spel goed speelde. Ik bedácht dat ik het lekker vond. Ik wist precies welke handelingen ik moest imiteren om de indruk te wekken dat ik het lekker vond, ik wist op welke momenten ik mijn ademhaling moest versnellen. Wanneer hij zijn handen op mijn borsten legde, wist ik exact hoe ik vervolgens op mijn zij moest gaan liggen, zodat hij gemakkelijk mijn billen kon aanraken. Als een vlijtige studente wijdde ik me aan mijn taak, maar ik voelde niks. Laat ik het anders zeggen; ik genoot van het spel, ik genoot ervan om hem op te winden, maar het was niet bevredigend.

Hij slaat zijn armen vaster om me heen. 'Schatje.'

'Is het je weleens opgevallen dat als je slechte seks hebt je voortdurend seks wil, maar als je echt goede seks hebt dat het dan voelt alsof je nooit meer seks hoeft te hebben? Gewoon omdat het zo diep bevredigend is.'

'Hoe voel je je nu?'

'Alsof ik nooit van mijn leven nog aan seks hoef te doen.'

Hij knipt in zijn vingers.

'Heb ik weer. Kom ik een leuke vrouw tegen, vindt ze het zo fijn dat ze nooit meer seks nodig heeft. Is ze in één klap voor de rest van haar leven bevredigd.'

Ik grinnik. Hij streelt over mijn hoofd. We liggen stil in elkaars armen, allebei in gedachten verzonken.

Als kind dwaalde ik 's nachts door het huis en fantaseerde dat ik Jane Bond was, onoverwinnelijk en onbevreesd met een poederdoos met giftig poeder in de aanslag. Ik verschuilde me achter deuren en liep op mijn tenen door de gang met een plant in mijn handen die ik voor mijn lichaam hield ter camouflage, zodat de vijand me niet opmerkte. Elke nacht had ik een andere missie. Dan weer sprong ik uit een rijdende trein, dan zat ik in een trojka en werden we achtervolgd door wolven. Altijd op jacht naar de schurk van het verhaal. Ik was de heldin. Iedereen sliep. Ik was alleen in mijn wereld, een wereld waarin ik volwassen was, waarin ik het voor het zeggen had, waarin ik het leven aankon, waarin ik vrij was.

Ik moest als kind aardig zijn om te overleven. Ik moest altijd op mijn tenen lopen, altijd aardig zijn. En de angst is er nog altijd, de angst die te maken heeft met het altijd op je hoede moeten zijn en het waar-gaat-het-met-me-naar-toe-gevoel. Daardoor voel ik me in een relatie snel bedreigd en gespannen. Er zit maar één ding op.

Ik richt me op en kijk hem aan.

'We zullen moeten blijven neuken als konijnen, anders gaat het mis. En als het misgaat hebben we geen seks en als ik geen seks heb gaat het mis. Dan bouwt zich te veel spanning op. Ik moet je een geheimpje verklappen. Ik ben een bonoboaapje.'

Hij begint te lachen.

'Ik zie het probleem niet. Ik ben dol op bonoboaapjes. Sterker nog, ik ben er zelf ook één en anders ben ik er één in een vorig leven geweest.'

'Je bent toch niet alleen voor de seks bij me.'

'Nee, natuurlijk niet. Maar het is wel belangrijk toch? Je gaat toch een relatie aan om seks met iemand te hebben? Dat is toch wat een intieme relatie onderscheidt van elke andere relatie. Het feit dat je seks hebt. Of zie ik dat verkeerd?'

'Nee, ja, dat is zo.'

'Ik kan alles doen met iedereen, lachen, eten, praten, naar de film gaan, maar seks doe ik alleen met jou. Dat doe ik met bijna niemand, alleen met jou.'

'En wat doen we als het voorbijgaat? De hartstocht verdwijnt.'

'Bij ons niet. Als het zo goed is als bij ons, dan gaat het niet voorbij.'

'Hoe weet je dat zo zeker?'

Hij slaat zijn armen steviger om me heen en duwt me tegen zich aan.

'Omdat ik denk dat er iets fundamenteel goed zit tussen ons. Ik denk dat er meer aan de hand is dan alleen een seksuele aantrekkingskracht. Ik denk, maar daar kan ik naast zitten, dat bij ons de seks voortkomt uit wat we voor elkaar voelen, *we really like each other*, het is een uiting van dat gevoel, een gevolg en geen startpunt. Voor mij voelt het zo en dat is heel anders dan in vorige relaties.'

Het is ook voor het eerst dat we het over onze relatie hebben. Dat we iets benoemen. En door het te benoemen kan het kapot.

Zo voel ik dat. Daardoor wordt het duidelijker, werkelijker. Het is te vergelijken met kunst en kitsch. Jarenlang staat er een fraai maar niet heel opvallend vaasje op de schoorsteen, en door tussenkomst van een antiekexpert blijkt het een exemplaar uit de vorige eeuw waarvan de waarde intussen tot een astronomisch bedrag is gestegen. Het is hetzelfde vaasje, maar je gaat er heel anders mee om. Opeens ben je bang dat het zal sneuvelen tijdens het stofzuigen. Het verdwijnt in een kluis, je vergeet ervan te genieten uit angst dat het zal breken. Uit angst dat het zijn waarde zal verliezen, iets waar je helemaal geen last van had toen je de waarde niet kende. 'Voor het eerst heb ik het gevoel dat ik ergens hoor,' zegt hij.

'Waar hoor?'

'In je armen hoor.' Hij neemt me in zijn armen en kust me.

'Weet je waarom ik mee wilde?'

Hij heeft opeens een andere klank in zijn stem. Iets voorzichtigs, maar ook dwingends. Hij kan onverwacht dwingend zijn, maar niet op een vervelende manier. Robbert kon ook dwingend zijn en dan hing ik meteen in de kroonluchter van nijd. Maar als Rig zegt: 'Laat je achterovervallen,' dan, heel gek, laat ik me gewoon achterovervallen.

'Ik heb geen flauw idee. Omdat Sonja het vroeg en je geen nee durfde te zeggen. Omdat je zin had in een weekendje Italië.'

'Ik ben heel ouderwets, moet je weten.'

'Tuurlijk, en daarom heb je een tribal van een vlinder boven je kont.'

'Hier,' hij wijst op zijn hart, 'ben ik heel ouderwets. Ik heb ook een cadeautje voor jou,' zegt hij en hij gooit me van zich af en springt uit bed. Ik ga rechtop zitten. Hij rommelt in zijn koffer.

'Ah, hier is het. Ogen dicht. Het is een verrassing.'

Het eerste cadeautje dat ik van hem kreeg waren anale balletjes. Ze zaten verpakt in een schattig doosje.

'Is het een cadeautje?' moet de verkoopster bij Male & Female op de Vijzelstraat hem hebben gevraagd. 'Ja, graag.' 'Inpakken met een strikje erop?' 'Ja, graag.' En misschien was hij wel een klein beetje gaan blozen. Het was de eerste kleine test in onze relatie of we elkaar nog steeds zouden verstaan. Ik was er dolblij mee. Ik was verrast en onder de indruk van zijn moed, vindingrijkheid en doortastendheid. Dit was een minnaar die aan mij gewaagd was. Een minnaar die zich voor me uit wilde sloven. Een man die meer zocht dan alleen een hoer in bed. Bij Robbert had ik altijd het gevoel dat hij zich niet kon voorstellen dat vrouwen ook voor hun lol aan seks deden. Hij bekommerde zich zelden om mijn genot. Ik voelde altijd haarfijn aan dat wanneer hij me opwond het bedoeld was voor zijn eigen genot en dat het vrij weinig met mij te maken had. Een man die zich tot doel had gesteld om mijn seksuele leven tot ongekende hoogte te doen stijgen, die kende ik niet. Ik keek Rig verrukt aan. Niet alleen omdat ik wist dat ik een heel leuke avond tegemoet ging, maar vooral omdat het me zeldzaam ontroerde dat hij moeite voor me wilde doen, dat hij moeite ging doen om mij niet alleen te bevredigen, maar ook om me tot duizelingwekkende hoogtes te willen brengen. Hij wilde me mijn totale overgave cadeau doen. Hij wilde me snikkend laten klaarkomen en me voorgoed de zijne maken. Hij wilde de beste zijn, hij wilde me alle andere mannen laten vergeten. Hoe lief.

Hij keek me in afwachting van mijn reactie net zo nerveus aan als nu. Zijn ogen schoten heen en weer. Zou ze het leuk vinden? Ben ik niet te ver gegaan? Hoe zal ze hierop reageren?

Ik reageerde met een *full body*-orgasme waarna ik in snikken uitbarstte.

Ik had me volledig aan hem overgegeven, hem volledig vertrouwd en hij was zeldzaam teder met die kwetsbaarheid omgegaan. Het had me diep ontroerd.

'Een cadeautje?'

Een verrassing. Ik doe mijn ogen dicht.

'Hier ben ik, doe je ogen maar open.'

Hij zit geknield voor me met een klein doosje in zijn hand.

Ik schiet in de lach. Ik denk aan de sketch van Mr. Bean waarin hij een vrouw verrast met een doosje waarin een haakje blijkt te zitten. Een haakje waarmee ze het affiche dat hij voor haar heeft gekocht – waarop een man staat die zijn vriendin een trouwring geeft – kan ophangen.

'Heb je een haakje voor het schilderij gekocht?'
Hij schiet in de lach.
'Daarom dus.'
'Waarom wat?'
'Omdat je overal de humor van inziet. Daarom wil ik dit.'
Hij doet het doosje open. Geen haakje, maar een ring. Ik haal hem eruit. Glad roségoud.
Ik staar naar de ring.
'Iris, wil je met me trouwen?'

25

EEN RODE BRUIDSJURK

‘Meen je dat?’

‘Nee, ik zit hier voor mijn lol op mijn knieën. Nu niet van die domme vragen stellen. Ik vraag het nog één keer en anders is het poppetje gezien, kastje dicht.’

Ik kijk hem ongelovig aan. De laatste keer dat ik ben getrouwd was het alsof er iemand een ijzeren band om mijn nek had geschoven.

Ik schiet in de lach. Hij heeft gelijk, ik zie overal de humor van in, ook van een huwelijksaanzoek.

‘Ik meen het. Wil je met me trouwen?’

Opeens valt me op hoe glad zijn huid is. En dat het licht gedempt is en dat ik heel blij ben dat er geen strijklicht op mijn gezicht staat, omdat ik niet weet of hij die vraag dan nog steeds zou stellen. Wat een onzin. Wat een oppervlakkige gedachte. Natuurlijk stelt hij die vraag dan nog steeds.

‘Doe niet zo gek. Waarom?’ vraag ik.

‘Waarom? Vraag je me nou waarom?’ Hij schiet in de lach. ‘Nou, hou je vast.’ Hij komt dichterbij en houdt zijn gezicht heel dicht bij het mijne. ‘Omdat ik van je hou. Ik hou van je gezicht, van je lijf en van hoe je denkt en voelt. Ik voel me nooit eenzaam bij jou. Ik verwacht steeds dat ik me eenzaam zal voelen of buitengesloten of geïrriteerd, maar dat is niet zo.’

Dat komt nog wel. Dat is de ellende. De schat. De lieverd. Wacht, ik moet Sonja bellen met de heugelijke mededeling dat hij ‘het’ heeft gezegd.

Ik zit nog steeds als een vis op het droge naar adem te happen. *For better or for worse. Till death do us part.* Dat is de bedoeling.

'We zouden niet over tijd of de toekomst nadenken. Dan gaat het mis. Daar waren we het toch over eens?'

'Verder verandert er toch niets?'

'Jawel. We beloven elkaar trouw tot de dood ons scheidt. Dat kan ik niet overzien. En ik ben iemand die zijn belofte altijd nakomt. Het heeft me de beste jaren van mijn leven gekost omdat ik Robbert trouw had beloofd. Na mijn scheiding heb ik me voorgenomen nooit meer te trouwen. Gewoon om me tegen mezelf in bescherming te nemen.'

'Dus je zegt nee.'

Hij zwijgt en kijkt me lang aan.

Ik kan niet doorgronden wat voor complexe motieven er achter die blik schuilgaan, maar niettemin gaat er een enorme kracht van uit.

'Wat is er? Wat doe je?' Ik neem zijn gezicht in mijn handen.

Ik heb zijn ernst onderschat.

'Ik ben niet goed in relaties,' zeg ik. 'Wat we hebben is goed. Waarom laten we het niet zoals het is?'

'Omdat het leven kort en onbarmhartig is. Elk mooi moment moet gevangen worden.'

'En dit is zo'n moment?'

'Ja. Ik wil dat je antwoord geeft vanuit je gevoel. Wil je bij mij zijn? Nu? Wil je nu bij me zijn en morgen ook?'

'Ja.'

'Hou je van mij?'

'Ja.'

'Voor zolang het duurt?'

'Zolang het duurt?'

'Ja.'

'Dan is het dus tijdelijk.'

'Alles is tijdelijk. Niet over tijd nadenken betekent ook onder ogen zien dat alles tijdelijk is. Hoe dan ook. Maar nu, op dit moment wil ik de rest van mijn leven bij jou blijven. Ik heb lang genoeg rondgekeken om te weten wat er in de wereld te koop is. Ik hoef niet verder te zoeken. Dit is het. Ik wil oud worden met jou.'

'Dat denk je maar. Daar denk je heel anders over als ik oud ben. Ik word eerder oud dan jij, we zitten in verschillende levensfases, realiseer je je dat wel?'

'Natuurlijk.'

'Geen probleem?'

'Ik heb het naar mijn zin als ik bij je ben. Zelfs als het niet heel erg leuk is. Zoals vanavond. Het was niet echt een heel leuke avond, zeg nou zelf.'

'En je zei net dat je je enorm geamuseerd had?'

'Ik heb me wel geamuseerd, omdat het een bizarre avond was. Maar dit is niet mijn idee van een heel fijne avond natuurlijk. Interessant is het wel. Maar wat ik wil zeggen is dat ik dan nog steeds bij je wil zijn. Dat lijkt mij een goed teken. *What's it gonna be, babe*?'

Ben ik hem kwijt als ik nee zeg? Is zijn vertrouwen in mij dan geschonden?

'Als ik voor een moeilijke keus sta, vraag ik me altijd af wat ik zou doen als ik nog maar een jaar te leven zou hebben met een miljoen op de bank. Dan weet ik het antwoord meteen,' zegt hij en hij laat zijn vingers even onder het schouderbandje van mijn korset glijden.

'Mag ik een rode bruidsjurk aan?'

'Jij mag alles.'

'Met een split?'

'Graag.'

'Rood brengt geluk.'

'Nog beter.'

'En ik wil op een eiland trouwen. Zonder familie, mag dat? Alleen wij samen. Niet zoals in de film, ik wil het niet zoals in de film.'

'Ik begin het steeds leuker te vinden.'

'En we houden het geheim.' *It will be our little secret. Okay*?

'Prima.'

'Ja. Ja, ik wil met je trouwen,' zeg ik.

We beginnen allebei te giechelen van de zenuwen. Hij schuift de ring aan mijn vinger. We kijken elkaar aan. Ik houd mijn adem in, hij heeft tranen in zijn ogen. Ik moet mijn lach inhouden. Hij duwt me achterover op het bed. We kussen. *Laat ik er maar niet over nadenken en de dingen gewoon laten gebeuren.* We zoenen. *Waarom zou ik me niet in overgave laten vallen?* Hij trekt het korset uit. *Laat ik mijn verstand op nul en de blik op oneindig zetten en me overgeven.* Hij neemt mijn borsten in zijn handen. *Een huwelijksaanzoek wordt wel vergeleken met in het donker van een steile rots afstappen in de verwachting zacht te zullen landen.* Hij likt aan mijn linkertepel. *Het leven kan niet onzekerder worden. Ik ben bang dat ik niet nat word.* Hij zuigt aan mijn rechtertepel. *Hoe we op onze onzekerheid reageren, bepaalt in grote mate hoe gelukkig we zijn.* Ik word nat. *Met de dood en belastingen als enige garantie is het een wonder dat we de moed kunnen opbrengen om ook maar op te staan.* Hij spreidt mijn benen. *Het leven verrast ons voortdurend en vaak onaangenaam.* Hij streelt de binnenkant van mijn dijen. *Het huwelijk is daarop geen uitzondering. Het beschermt ons niet tegen de verrassingen van het leven. Dat weet ik.* Hij glijdt naar beneden. *Het huwelijk is een onverlichte weg, en ik ben niet goed in het bewandelen van onverlichte wegen.* Hij begint me te likken. *Aaaah, wat lekker. Je hoeft de hele trap niet te zien om hem te bestijgen, alleen de volgende tree. Wie heeft dat gezegd? De Dalai Lama. Zo'n soort iemand. Een wijs iemand die celibatair leeft. Wat weet die nou helemaal?* Hij duwt zijn vingers in mijn kut en begint me diep te vingerneuken terwijl zijn tong zich concentreert op het puntje van mijn clit. Ik voel mezelf bevend over de rand gaan en klaarkomen. Een orgasme dat de kundalini verhoogt en waarvan mijn benen schokken en mijn handen zijn nek stevig omknellen. Hij geselt mijn clit met zijn harde lul. Hij kruipt op me, duwt zijn lul in me, trekt hem er weer uit en zegt: 'Nog niet, nog niet' en blijft dit doen tot ik hem smeek hem er weer in te duwen. Hij draait me om en kletst op mijn billen en duikt er weer in. Ik kom weer klaar. Ik snak naar adem van genot en verbazing. 'Ik ben nog niet eens begonnen je te neuken,' gromt hij. Hij stapelt kussens voor me om op te leunen, legt zijn handen om mijn borsten, gaat van achteren bij me naar binnen en begint hard te stoten. Ik ben wild van vermoeidheid en geilheid. Zijn uitzinnige sensualiteit windt me zo op. Mijn kut klopt en doet pijn. Hij gooit mijn benen over een van zijn schouders en begint me weer geestdriftig en vastbesloten te neuken. Ik heb nog nooit meegemaakt dat iemand zich zo volledig laat gaan. Hij heeft een intense blik in zijn ogen en neukt me alsof het een kwestie van leven en dood is en ik voel dat hij klaar begint te komen. 'Ja, ja,' hijg ik, 'kom maar.' Terwijl hij diep in me stoot komt hij als een gek klaar.

Er is geen barrière tussen jou en mij en zo moet het blijven. Of zal de liefde pas op volle sterkte en in al haar schoonheid te zien zijn wanneer de liefde is losgelaten, als een ballon, wanneer het als een hemellichaam in de lucht zweeft? Zal ik er pas van kunnen genieten wanneer het niet meer van mij is? Wanneer ik er in vrijheid naar kan kijken? We hebben geen verleden en dat moeten we zo houden. Geen verleden creëren en geen toekomst verwachten, dat is de enige manier. Denken aan het verleden doet het verleden herleven in een andere vorm, denken aan de toekomst doet onherroepelijk de angst de kop opsteken. Alleen in het moment ben je echt werkelijk vrij. Dat is het mooie van loslaten. Dat de liefde erdoor wordt bevrijd. Bevrijd van oordelen, ego, angst. Bevrijd van het denken. Bestaat de totale ervaring van de liefde ook in het verliezen ervan?

26

WHATEVER GETS YOU THROUGH THE NIGHT

Midden in de nacht word ik wakker. Ik ben nog niet gewend aan de kreten van uilen die de rust verstoren. Ik heb hoofdpijn. Ik heb te veel wijn gedronken. Ik houd mijn linkerhand met de ring in de lucht. Het voelt vreemd. Ik ben iemand die slecht sieraden verdraagt. Het duurt lang voordat mijn huid eraan gewend is en het een vanzelfsprekend deel van mij wordt. Ik wil de ring niet aan mijn vinger kunnen voelen, dat irriteert. Ik draai en trek aan de ring. Hij kan toch nog wel af? Ik lik aan mijn vinger en trek de ring van mijn vinger. Ik houd hem omhoog en draai hem in het rond. Steek hem in mijn mond, zal ik hem inslikken? Goud schijnt een mineraal te zijn dat een enorm anti-aging effect heeft. Wat kan ik beter doen dan deze ring inslikken in plaats van hem om mijn vinger te dragen? Nee, gekkigheid, ik schuif hem weer aan mijn vinger. Ik vouw mijn handen achter mijn hoofd en staar wat naar het plafond. Rig ligt op zijn zij naast me met zijn rug naar me toe. Het laken is van hem afgegleden. Zijn lichtbruine lichaam glanst in het maanlicht. Ik moet iets eten. Ik dek hem toe en stap uit bed.

Ik trek een badjas aan en zonder het licht aan te doen loop ik op mijn tenen de kamer uit, de trap af naar de keuken. Mijn moeder heeft alles al opgeruimd. De keuken ziet eruit om door een ringetje te halen. Alles altijd perfect verzorgd. Het lijkt wel een showroom. Ik trek de koelkast open. Er valt een pakje boter uit. Ik raap het op en veeg de vette plek op de plavuizen schoon met een natte theedoek. De koelkast is tot de nok toe gevuld. Mortadella, provolone, San Daniele-ham, genoeg voor een weeshuis. Een weeshuis. Hoe toepasselijk. Witte wijn, rode wijn, prosecco. Ik trek de diepvrieslade open. Canadese kreeft. Lamskoteletten. Lamszadel. Koningskrab. Toe maar. Ze is nogal wat van plan. Niets te dol om het mijn vader naar de zin te maken. Of om hem te sussen, wie zal het zeggen. Het is me nooit duidelijk geworden wat de beweegredenen van mijn moeder zijn geweest. Of ze echt van hem houdt of dat ze het spel meesterlijk speelt. Ik heb het haar weleens gevraagd, lang geleden, in de tijd dat ik nog duimde. 'Mam, hou jij van papa?' Het feit dat een kleuter zoiets aan haar moeder vraagt geeft al te denken, het antwoord des te meer. 'Niet van die gekke dingen vragen, liefje,' was het antwoord. Daar kon ik het mee doen. Daar zou je uit kunnen concluderen dat het antwoord 'nee' was. Mijn moeder. Houd ik van mijn moeder? Ik zou het niet weten. Ook dat antwoord geeft te denken. Ik vraag me weleens af hoe erg ik het zou vinden als ze doodgaat. Niet zo heel erg, denk ik nu. Mijn moeder is nooit een band met me aangegaan. Ik geloof niet dat ze met iemand op deze wereld een band heeft. Soms lijkt het alsof ze het meest een band heeft met haar quilts. Liefde is aandacht en als we kijken waar mijn moeder de meeste aandacht aan geeft, zijn dat niet haar kinderen. Mijn moeder leeft voor haar hobby's. Quilts in de winter, rozen in de zomer. Rozen met doornen, schepen van goud. Nee, hoe was het ook al weer?

Rozen hebben doornen, liefde doet soms pijn
Want in ieders leven is niet alles zonneschijn
Rozen hebben doornen, liefde kent verdriet
Maar bij ware liefde hindert zoiets toch niet

Nou ja, doet er niet toe. Dus als de vraag is of ik van mijn moeder houd? Nee, ik denk het niet. Ik zeg het eerlijk. Hechting is een wederkerige en diepgaande emotionele en fysieke relatie tussen een kind en zijn ouder. Daar ga je al. Hechting vereist de fysieke en emotionele beschikbaarheid van zowel kind als ouder. Tel uit je winst. Hechting is de basis voor alle latere relaties en kan veilig of beschadigd zijn. Dan ben ik mooi in de aap gelogeerd. Ik geloof niet dat wat ik voor mijn moeder voel liefde genoemd kan worden. Het is rationeel. Het is alsof ik weet wat ik moet voelen, het is een mentaal proces, niet iets wat recht uit mijn hart komt, een beetje zoals seks met Robbert. Mijn moeder. Wonderlijke vrouw. Ik ken haar niet. Niet echt. Ik heb geen idee wie ze is. Iemand die van een volle koelkast houdt. Zoveel is duidelijk.

Ik schuif een pak melk opzij op zoek naar iets eetbaars. Een nachtelijke versnapering, iets waar ik nu zin in heb. Is er nog van die ricottameuk? Of is het allemaal opgegaan? Achter in de koelkast zie ik een bak tiramisu staan. Ha! Mijn moeder maakt uitstekende tiramisu van een recept uit *De Zilveren Lepel.* Alleen vervangt ze de lange vingers door hotelcake waardoor de boel nog smeuiger wordt. Ik trek de bak naar me toe en trek het deksel open. Halfvol. Mooi. Ik pak een lepel uit de la en ga aan tafel zitten. Zuchtend neem ik een grote hap.

'Nog niets veranderd, zie ik.'

Boef staat achter me in de deuropening. Een glas whisky in zijn hand.

'Jezus, man, waar kom jij vandaan? Ik schrik me dood.'

Hij laat de ijsblokjes in zijn glas tinkelen.

'Ik zat in de woonkamer. Ik dacht dat de muizen feestvierden, maar jij was het. Ik had het kunnen weten. Nachtbraakstertje.' Hij glimlacht. 'Lekker?'

Ik knik.

'Mag ik ook wat, of wilde je het allemaal zelf opeten?'

'Nee, ik pak wel een schaaltje voor je.'

'Nee, het gaat zo wel.' Hij pakt de lepel uit mijn hand, schept wat tiramisu uit de plastic bak en steekt het in zijn mond. Hij likt de lepel af terwijl hij me aankijkt. Ik sta op en pak een schone lepel. Zwijgend happen we tiramisu.

Hij neemt weer een slok whisky en houdt het glas voor mijn neus.

'Ook een beetje?'

'Nee, dank je. Geen sterkedrank.'

'Dat viel me al op, ja. Sinds wanneer niet meer?'

'Al een tijdje niet meer.'

'Waarom niet?'

Ik haal mijn schouders op.

'Ik voel me beter als ik niet drink.'

'Daar heb ik nou weer helemaal geen last van.'

Hij drinkt zijn glas leeg en schudt het glas met de ijsblokjes heen en weer en houdt zijn oor erboven.

'Ik hoor de kleintjes,' zegt hij terwijl hij me aankijkt met een spottende blik in zijn ogen. Hij zegt in het glas: 'Ja jongens, even wachten, papa gaat de fles halen.'

Hij begint hard te lachen, staat op en loopt terug de woonkamer in om zichzelf nog een keer in te schenken.

'Ik dacht dat je een vriendinnetje mee zou nemen. Ik had iets gehoord over een Rosalie,' roep ik achter hem aan.

'Ja, dat klopt, ja. Rosalie,' roept hij terug en hij begint het nummer van Thin Lizzy te zingen.

She knows music
I know music, do you see?
She's got the power
My teen queen, Rosalie
Rosalie
Rosalie
Rosalie
Rosalie

'Ach, wat moet ik ervan zeggen. Het gaat niks worden.' Hij staat weer in de deuropening. 'Maar dat wist jij al, toch?' Hij veegt een lok haar van zijn voorhoofd. In het donker is het of er geen tijd voorbij is gegaan en is het alsof hij nog steeds twintig is en we op het punt staan midden in de nacht het huis te ontvluchten om de hort op te gaan. Het verbond. Ons verbond.

'*Shaken, not stirred, and always on the rocks*,' mompelt hij. Hij loopt naar de koelkast en houdt zijn glas onder de ijsblokjesmaker. Rinkelend vallen ze in het glas.

‘En jij? Je durft wel dat je hem mee hebt genomen.’

‘Het was niet mijn idee. Sonja heeft hem gevraagd.’

‘Sonja?’

‘Ja, die was bij mij op bezoek. En ze vroeg hem zonder het met mij te overleggen. Hij zei meteen: “Ja, leuk.” En dat was dat. Ik ben er maar niet moeilijk over gaan doen.’

‘Geen slapende honden wakker maken. Heel goed zusje, heel goed. Het is wel raar dat ze het vroeg, dat vind ik niks voor Sonja, die is nooit zo gastvrij en met de armen wijd open voor vreemden.’

‘Rig is een innemende persoonlijkheid.’

‘Misschien.’

Hij neemt nog een slok, gevolgd door een hap tiramisu.

‘Nou ja, eens moet de eerste keer zijn, toch? En ik vind het wel zo fijn dat we hier met z’n allen zijn en dat ik hier niet alleen met paps en mams zit. Ik ben blij dat jij er bent. Ik heb je veel te lang niet gezien.’

‘Dat ligt niet aan mij, Boef. Je kunt gewoon langskomen en dat doe je nooit.’

Hij haalt zijn schouders op en neemt weer een slok.

‘Waarom drink je zoveel?’

‘Alsof jij dat niet weet.’

Hij neemt een slok.

‘Iedereen praat over mijn drinken, maar niemand praat over mijn dorst.’

‘Het is ongezond, je moet niet zoveel drinken.’

‘Jij moet niet zoveel ouwehoeren.’

‘Je kunt toch minderen? Of stoppen?’

‘Nee, dat kan niet, want dan had ik het al gedaan, denk je zelf ook niet?’ zegt hij vinnig. En dan met een brede lach: ‘Ik vind het lekker. Waarom zou ik ergens mee stoppen wat ik lekker vind? Hou jij op met seks? Nee toch?’

‘Dat is iets anders.’

‘Laat mij nou lekker. Je moet ergens aan doodgaan, toch? Dan liever liederlijk en onder invloed, dan heb ik het tenminste niet in de gaten.’

Hij grijnst.

'Hoe gaat het tussen jullie?'

'Goed.'

'Goed?'

'Ja, goed. Heel goed. Ik ben dol op hem. En hij is lief voor me. Wat wil je nog meer?'

'Was het lekker daarstraks?'

Ik voel dat ik een kleur krijg.

'Wat? Hoe bedoel je?'

'Het was in het hele huis te horen, lieverd. Het is maar goed dat ik zo'n lastpak was vroeger. Nu snap ik waarom mama jou in mijn kamer heeft gestopt. Lief van haar. Zo zie je maar. Het leven zit vol verrassingen. En je kunt veel van haar zeggen, maar koken kan ze. Je hebt me nog geen antwoord gegeven.'

'Waarop?'

'Ik vroeg je of het lekker was.'

'Geef me toch maar een slokje.'

Hij geeft me het glas whisky. Ik neem een slok. Ik houd van whisky. De kleur, de geur. Whisky is mensenwerk. Whisky is niet uitgevonden door marketeers. Daarom houd ik ook van blends. De smaak van een whiskyblend wordt bepaald door één man of vrouw. Whisky is een product van mensen en plaatsen. Dalmore is een stad. Laphroaig is een stad. Je kunt trouwen in Laphroaig.

'Hij heeft me ten huwelijk gevraagd.'

27

MARRIAGE ON THE ROCKS

We zouden niemand iets zeggen maar ik moet het iemand vertellen. Ik wil het hem vertellen.

'Asjemenou.' Hij begint te zingen: '*When the barman said: "What're you drinking", I said: "Marriage on the rocks"*. Wanneer?'

'Wanneer wat?'

'Wanneer heeft hij je gevraagd?'

'Vanavond. Voor we naar bed gingen. Hier, kijk.'

Ik laat hem de ring zien. Hij pakt mijn hand en aait even over de ring.

'Zo. Niet mis.'

Hij kijkt me aan met een blik waarin de diepe droefenis te lezen is die alleen ik kan zien.

'Mooi, hè.'

'Ja. Heel mooi.'

'Het is roségoud. Ik weet niet hoe hij het weet, maar dat is mijn lievelingskleur goud. Ik kan me niet herinneren dat ik het hem ooit heb verteld.'

'Sommige mannen kunnen gedachten lezen. Dat weet je toch.'

Ik knik en kijk naar mijn hand. Ik kijk naar mijn andere hand waar ik de omgesmolten trouwring van Robbert draag. Ik heb hem laten omsmelten en er een opaal in laten zetten. Ik had gelezen dat opaal een beschermende en activerende steen is. Het maakt vrolijk, optimistisch, levenslustig, spontaan, origineel, creatief en stimuleert een interesse in kunst en waardering voor mooie dingen. De steen heeft ook een sterke connectie met liefde, passie en genieten van seksualiteit en maakt trouw en loyaal. Ik geloof er niet echt in, maar om elke twijfel uit te sluiten heb ik toch voor opaal gekozen, omdat het precies die eigenschappen waren die ik graag wilde ontwikkelen. Zo droeg ik een geheugensteuntje aan mijn vinger. Een geheugensteentje dus eigenlijk.

Ik was een doodsbang meisje dat ging huilen als ze naar schoolzwemmen moest. Ik was een eenzelvig meisje, geen autistisch kind dat achter de bank zat te wiebelen, maar een kind met fantasieën en dromen. De realiteit riep te veel spanning op. Fantasieën voerden mij weg van de realiteit, omdat ik die te koud vond. Te eenzaam.

'Hoe lang kennen jullie elkaar?'

'Iets meer dan een halfjaar.'

'En het gaat goed?'

'Ja, het gaat goed, ja. Wat nou?'

'Ah, kijk, daar ben je. Zo ken ik je weer. Heeft hij je zo al gezien?'

Hij grijnst.

'Lul.'

'Die heeft hij hoop ik, ja. Heeft hij een beetje leuk formaat? Is hij een beetje goed?'

Hij grinnikt en port me in mijn zij.

'Lach es en geef me nog es een hap van die tjobba.'

Ik houd zijn lepel voor zijn mond. Hij doet zijn mond open en hapt.

'Hoeveel jonger is hij eigenlijk?'

'Hoe weet je dat hij jonger is?'

'Dat zie ik, lieverd. *Don't flatter yourself*, je ziet er geweldig uit, maar je bent geen dertig meer. Hoe oud is hij?'

'Eenendertig.'

'Eenendertig? Dat maakt hem, hoeveel jonger dan jij? Hoe oud ben je ook al weer?'

'Jezus, Boef, doe es niet zo vervelend. Wat heb jij? Kun je nou niet gewoon es aardig doen?'

'Wat doe ik? Ik ben aardig. Ik vraag hoe oud je bent. Wat is daar onaardig aan?' Hij grijnst.

'Dat maakt hem,' hij telt op zijn vingers, '1-2-3-4-5-6-7-8-9-10-11-12-13-14-15-16 jaar jonger.'

'Heel knap.'

'Zestien jaar jonger. Een jongetje nog.'

'Rig is geen jongetje. Jij bent een jongetje en jij bent ouder dan ik. Leeftijd zit hem niet in het getal, leeftijd zit in je hoofd.'

'Tuurlijk, schat. Het is goed, schat, ik spreek je nog wel over een paar jaar.'

'Wat bedoel je daarmee?'

'Niks, daar bedoel ik niks mee. Je bent ouder en dat wil je niet zien, dat wil je niet onder ogen zien. En daar komen moeilijkheden van.'

Waarom maakt hij me bang? Waarom stuurt hij beren de weg op? Waarom is hij niet gewoon blij voor me en verder niets?

'Dat is nou zo ongelofelijk lullig van je om dat te zeggen.'

'Je bent verliefd. Dat is mooi. Ik ben blij voor je. Halleluja.'

Hij begint te zingen:

'Love is not a victory march
It's a cold and it's a broken Hallelujah
Hallelujah
Hallelujah
Hallelujah
Hallelujah

Verliefd. *In love*. Dat moet je zo houden. Voor zolang het duurt.'

'En denk erom,' hij legt een vinger op mijn mond, 'ssst, geen slapende honden wakker maken. Hard blaffende honden met het schuim op de bek die de boel verstoren. Neem nog een slokje, dat helpt om de honden te laten slapen.'

Hij houdt het glas voor mijn mond. Ik neem een slok.

'Wat doet hij voor werk?'

'Hij is koningskrabvisser, nou goed?'

'Je lult.'

'Ja, ik lul. Nou, niet helemaal. Hij heeft een jaar of wat geleden een seizoen op zo'n boot gezeten, omdat hij iets wilde doen wat heel moeilijk en zwaar was en waarvan hij niet wist of hij het kon. Andere mannen gaan een berg beklimmen, hij is koningskrabvisser geworden. Iets om zichzelf te bewijzen.'

'Dappere rakker. En wat doet hij nu?'

'Hij is verantwoordelijk voor het duurzaam functioneren van een bedrijf. Een soort milieuadviseur. Het heeft een naam, maar die ben ik even kwijt.'

'Aha. Het is zo'n lekkere ecoman. Zo een die zijn kauwgum in de prullenbak gooit, de verwarming een graadje lager zet en dan een fijne trui om de brede schouders doet, oplet uit welk land hij een shirt koopt, en als het moet persoonlijk een zeehondenjager neerknuppelt, maar zonder het lactobiologische sausje van de ecostrijders met de warrige baard, de ziekenfondsbril en de geitenwollensok bij wijze van stropdas. Klinkt goed allemaal. Klinkt te mooi om waar te zijn. En als het te mooi is om waar te zijn dan is het...'

Hij prikt in mijn zij.

Nijdig duw ik hem van me af.

'Laat mij es even rustig wat gebak eten en daarna ga ik weer slapen.'

'Gaat dat lukken, denk je? Whoooeeee, geesten die je wakker houden, whhoooeeee, wat zal hij wel niet denken. Wat als hij erachter komt.'

Hij wappert met zijn handen voor mijn gezicht.

'Waar zou hij achter moeten komen?'

'Wie je werkelijk bent.' Hij legt zijn handen op mijn knieën en duwt ze een stukje uit elkaar.

'Als je het lef hebt.' Ik schop hem tegen zijn scheen.

'Kijk es aan. Nog steeds geen katje om zonder handschoenen aan te pakken. Met je mooie gelakte nageltjes. Vindt hij het lekker wanneer je hem daarmee over zijn rug krabt?'

'Kijk maar uit dat ik jou niet krab als je zo doorgaat.'

'Rustig maar. Rustig maar, Barbarella. *My lips are sealed. It will be our little secret.*'

Ik lepel de bak leeg en zet hem in het aanrecht. Dan bedenk ik me en spoel hem met heet water af en zet hem in het kastje. De vochtige theedoek hang ik uit over het randje van het aanrecht zodat hij kan drogen. Niets achterlaten om over te mopperen. Behalve dat de tiramisu op is. Maar daar valt ze dan gek genoeg niet over. Mijn moeder en haar gebruiksaanwijzing die ik van a tot z ken.

'Ik ga weer naar bed.' Ik geef hem een kus op zijn voorhoofd. Hij slaat even zijn arm om me heen.

Ik kroel door zijn haar.

'Doe nou maar rustig aan jij.'

Hij kijkt me aan. Het verdriet glanst in zijn ogen en ligt altijd op zijn gezicht. Hoe hard hij ook lacht.

Ik kom even bij jou liggen.
Hij rilde in zijn flanellen pyjama.
Hij kroop onder de dekens.
Raak me aan.

28

KONINGSKRAB

'Wat doet die koningskrab uit de vriezer?'

Mijn moeder staat met een glas wijn in haar hand tegen het aanrecht geleund.

'Dat is een verrassing,' zeg ik.

Ze pakt een koningskrabpoot op en bekijkt hem van alle kanten.

'Wat een beest, hè. Die wil je in het echt niet tegenkomen, hoor. Doodeng. Het is maar goed dat we hem opeten. Ga je hem laten ontdooien?'

Ze legt de poot met een vies gezicht weer op het aanrecht.

'Ja, anders leg ik hem niet uit de vriezer natuurlijk. Ik wil er iets mee doen voor vanavond. Dat is toch wel goed?'

'Het is beter voor het vlees om hem in de koelkast te laten ontdooien. Je had hem beter gisteravond uit de vriezer kunnen halen en in de koelkast kunnen leggen.'

'Ja, maar dat heb ik niet gedaan, dus het heeft geen zin om dat te zeggen. Zeg het maar. Moet ik hem terugleggen? Heb je liever dat ik hem niet klaarmaak vanavond? Wat is de boodschap?'

'Nee, ga je gang. Natuurlijk mag je er iets mee doen. Ik had hem voor later deze week in huis gehaald. Ik zag hem van de week liggen en dacht: die is voor mij. Ik heb een geweldig recept voor koningskrab, cappuccino van erwt met koningskrab, grijze garnalen en serranoham, klinkt dat niet geweldig?'

Zeker. En het klinkt ook als zeer ingewikkeld en tijdrovend. Echt iets voor mijn moeder dus.

‘Daar liep ik me al op te verheugen, maar jij mag er ook iets mee doen. Natuurlijk mag jij er iets mee doen. Ga gerust je gang. We moeten toch wat eten. Toch? Nee, vooruit, maak jij die koningskrab maar klaar. Heb je een lekker recept?’

‘Ik denk het wel.’

‘Je denkt het wel?’

Ze snuift. Ik heb het niet goed voorbereid. Ik doe maar wat. Denkt ze. Dat is niet zo. Ik ben zojuist de kookboeken ingedoken en heb een fantastisch recept gevonden. Natuurlijk laat ik op een dag als deze niets aan het toeval over. Maar dat hoeft ze niet te weten. Ik hanteer dezelfde truc, doe nonchalant, dan sorteer je een nog groter effect.

‘Ja, ik heb een lekker recept.’

‘Toch niks met knoflook, hè? Je vader...’

‘Ja, ma, ik weet dat papa niet van knoflook houdt.’

‘Rustig maar, ik zeg het maar. Ik zeg het alleen maar. Moet ik iets doen? Zal ik je even helpen?’

‘Nee, ik heb beloofd om voor het eten te zorgen. Jij hebt gisteren gekookt, ik doe het vandaag, dus je hoeft niets te doen. Ga maar in de ontspanning.’

Of nog beter, ga weg. Moet er niet gequilt worden? Zijn er rozen die erom smeken gesnoeid te worden? Laat mij maar lekker bezig zijn. Dan hoef ik niet te praten. Niet te denken. Gelukkig ben ik geen punaise. Gelukkig ben ik geen punaise. Gelukkig ben ik geen punaise.

Ze houdt haar glas op.

‘Ik ga enorm in de ontspanning. Ik vind het heerlijk dat er es iemand anders kookt. Wat ga je verder maken?’

‘Ik weet het nog niet mam, ik moet even mijn weg vinden.’

‘Dat bedoel ik juist, het is altijd lastig, koken in een vreemde keuken. Bovendien hebben we hier nu inductie en daar ben je niet aan gewend.’

Behalve dat de kamers van kleur zijn veranderd is er ook een nieuwe keuken gekomen. Wat ik jammer vind, want de oude keuken was authentieker en daardoor in mijn ogen een stuk gezelliger. Er moest nieuwe inbouwapparatuur komen. Met een simpele heteluchtoven kom je er tegenwoordig niet meer. Er moest bijvoorbeeld een smartboard komen. Zodat ze tijdens het koken een muziekje kan opzetten via de iPod en op internet een recept kan opzoeken. Geheel geïntegreerd in de complete opstelling, en daarmee een opvallend subtiel detail. Maar er moest wel een nieuwe keuken voor komen.

'Ik ben geen klein kind, mam, ik kan echt wel met inductie overweg.'

'Wil jij geen wijntje?'

'Nee, dank je, ik doe rustig aan. Ik moet nog een hele avond.'

'Rustig aan? Hoezo doe je rustig aan? Het is feest. Doe niet zo ongezellig.'

'Ik vind het te vroeg voor een wijntje.'

'Wat maakt dat nou uit?'

Ze kijkt naar de klok boven het aanrecht en trekt haar wenkbrauwen even op. Het is halftwee.

Ze kijkt even in haar glas alsof ze de wijn om instemming vraagt.

'Ik vind een wijntje om deze tijd van de dag gewoon heel lekker. En die vriend van je, doet die ook rustig aan?'

'Hij heet Rig, mam.'

'O ja, Rig. Die naam past niet bij hem, vind je wel? Wat betekent die naam eigenlijk?'

'Weet ik veel. Wat betekent Iris?'

'Iris betekent "regenboog" of "bode der goden". Daar sta je van te kijken, hè, dat we je zo genoemd hebben. Bode der goden.'

Ik sta er vooral van te kijken dat ze weet wat de naam betekent. Dat er blijkbaar echt over na is gedacht. En wat betekent Sonja? 'Poedel van oma'? Ik grinnik.

'Wat is er?'

'Binnenpretje, mam.'

Ik houd me in. Ik zeg het niet.

'Ik hou niet van binnenpretjes.'

'Geeft niks, mam. Ik wel. Ga es een stukje opzij, ik moet erbij.'

Ik trek de la open op zoek naar een hulpstuk voor de foodprocessor.

'Wat ga je nou maken?'

'Ik begin met het dessert. Ik maak een taart.'

'Wat voor taart?'

'Een *torta di nocciole e clementini* van een recept uit *The River Cook Book* en daarna zien we wel weer. Iets met die koningskrab, ik moet ook even kijken wat je in huis hebt.'

'Ben je geen boodschappen gaan doen dan?'

'Jawel, natuurlijk wel. Wat doet die doos daar anders?'

Mijn moeder loopt naar de doos die op tafel staat en pakt er een zakje amandelen uit.

'Wat ga je hiermee doen?'

'Mam, dat zie je wel.'

'O, nou, je hoeft niet zo aangebrand te doen. Ik ben gewoon belangstellend.'

'Ik doe het graag een beetje uit de losse pols. Ik heb vanmorgen even in de koelkast gekeken wat er was, op basis daarvan verzin ik iets.'

'Ooo, de professional is aan het werk. Ze verzint iets uit de losse pols. Nou knap, hoor. Gaat het goed met je broodjeszaak?'

Het commentaar wordt keurig verpakt met een strik eromheen. Het is geen broodjeszaak, het is een concept, een lunchgelegenheid annex brocante, geen broodjeszaak. Met een enkel woord haalt ze mijn nieuwe onderneming onderuit. Ze doet het gewoon. En als ik er iets van zeg, zal ze me aankijken en zeggen dat ik me niet moet aanstellen, dat ze het juist heel leuk vindt wat ik doe. Maar het is nooit goed. Het maakt niet uit, het is nooit goed, wat ik ook doe, het is nooit goed.

Ik pak de theedoek die op het aanrecht ligt en gooi hem over mijn schouder. Met mijn hand in mijn zij leun ik op het aanrecht. Ik kijk haar aan en mobiliseer alle zelfbeheersing die ik in mij heb.

'Mam, ik vind het helemaal niet erg om dit alleen te doen. Waarom ga je niet lekker in de woonkamer zitten?'

Ik zeg het zo vriendelijk mogelijk. Vriendelijk doch beslist.

'Omdat ik het gezellig vind om bij jou te zijn. Wanneer zie ik je nou? Ik zie je bijna nooit.'

Hoe gek is dat? Ik trek een la open.

'Wat zoek je?'

'Een mes.'

'Wat voor mes?'

'Een broodmes, ik wil wat rozemarijnbruschetta maken voor bij het voorgerecht.'

'Wel zonder knofl...'

'Ja, mam, zonder knoflook!' bijt ik haar toe.

'Nou, nou, wat een toon.'

'Er stond hier altijd een messenblok, waar is dat messenblok gebleven?'

'Dat heb ik weggehaald.' Haar gezicht betrekt. 'Leek me beter. Hier,' ze trekt een andere la open, 'liggen de messen.'

Ze pakt er eentje uit en geeft het aan me. 'Kijk es.'

Mijn moeder staat met hetzelfde broodmes in haar handen toen ze zei: 'Ik maak je dood.'

29

TIPTOE THROUGH THE TULIPS

Onwillekeurig doe ik een stapje achteruit.

Ze draait het mes om en neemt het lemmet in haar hand.

'Een mes moet je altijd met het heft naar voren aangeven. Dat weet ik heus wel, hoor.'

Ik pak het aan.

'En ik heb een gewoon mes nodig. Een scherp gewoon mes.'

Ze rommelt even in de la.

'Is deze goed?'

'Ja, die is goed.'

'Voorzichtig, want het is een echte Sabatier.'

'Ja, ik doe voorzichtig.'

'Ja, dat je er geen stukje afbreekt. En niet op het granieten aanrecht snijden, wel een snijplank gebruiken.'

'Mama, ik weet hoe ik moet snijden met een mes. En waarop. Op deze snijplank.'

Ik sla met mijn vlakke hand op de houten snijplank. Ik zeg het afgemeten en probeer mijn drift te beteugelen.

'Ik zeg het voor je eigen bestwil, meisje.'

Ze liegt. Ze zegt het niet voor mijn bestwil. Ze zegt het omdat ze het niet kan laten.

'Het is wel een knapperd, hè, die Rig.'

'Hij is heel knap, ja.'

'Wat doe je daar nou lauwtjes over?'

'Ik doe niet lauwtjes.'

Ik heb geen zin om erover te praten. Maar voelt ze dat aan?

Nee, dat voelt ze niet aan. Ze dendert gewoon door. Ongevoelig voor mijn signalen. Mijn moeder gaat van zichzelf uit. Altijd. Het enige wat ze ooit heeft gezien is haar eigen projectie, ze ziet alleen zichzelf in mij. Ze had het altijd te druk met andere dingen om zich om mij te bekommeren. Ik had een zoen op mijn wang, een knuffel en geborgenheid nodig. Als je iemand ziet die op mijn moeder lijkt, zeg haar dan hiernaartoe te komen. Ik heb er een nodig.

Ik snijd een stokbrood in dunne sneetjes.

'Ik vind dat je nogal onverschillig reageert als ik zeg dat ik hem knap vind. Vind je het niet fijn dat je moeder je nieuwe vriend knap vindt?'

'Ja, mam. Reuze. Dat vind ik reuze fijn.'

'Hoe oud is hij eigenlijk?'

Ah, we zijn er.

'Wat doet dat ertoe?'

'Dat doet er heel veel toe natuurlijk.'

Het flemende is uit haar stem verdwenen. We zijn waar we moeten zijn. Met een heel lange omweg waarbij ze flierefluitend door het gesprek is gegaan, is ze aangekomen bij datgene wat ze al de hele tijd wil vragen. Hoe oud is hij? Want hij mag dan wel charmant en knap zijn, maar waar we naar op zoek zijn op deze middag is dat wat niet deugt. Altijd op zoek naar wat niet deugt. Altijd op zoek naar de zere plek, de zwakke plek. Als een laserbom op zoek naar een doel om kapot te maken.

Ik leg het mes neer, steun met mijn handen op het aanrecht en laat mijn hoofd even hangen.

'Mam, wat sta je hier te doen? Gezellig te keuvelen, mij uit te horen, of lazarus te worden? Je mag kiezen.'

'Alle drie.' Ze kijkt me stralend aan. 'Ik mag toch wel een gesprek met mijn dochter hebben? Waarom neem je hem anders mee? Je neemt hem toch mee zodat wij hem kunnen goedkeuren?'

'Goedkeuren? Mam, ik ben bijna vijftig. Ik heb jullie goedkeuring niet nodig.'

'Dat denk je maar. Doe maar stoer. Maar eigenlijk wil je onze goedkeuring. Ik zie het aan je gezicht. Ja, ja, ik zie het wel, je wilt het goed doen, je wilt dat we trots op je zijn. En terecht, want anders onterven we je. Zo gaat dat met kinderen. Die willen hun ouders trots maken. Dat is zo leuk van kinderen hebben.'

Wat is daar zo leuk aan? Wat is er leuk aan om je kind het vuur uit zijn sloffen te zien lopen om je trots te maken? Is het daarom nooit goed? Zodat jullie kunnen blijven genieten van je kinderen die zich het vuur uit de sloffen lopen? En wat zei ze nou? Onterven? Ik bijt op mijn tong. Niet zeggen. Niet zeggen. Geen olie op het vuur. Niet reageren. Nog twee dagen. Rustig. Adem in en adem uit. Yoga, meditatie, gelukkig ben ik geen punaise, gelukkig ben ik geen punaise. Of ben ik bang dat ze gelijk heeft? Heb ik er de pest in dat ze misschien gelijk heeft? Is dat zo? Ben ik daarom hier? Nee. Sonja heeft hem gevraagd. En als ze hem niet goedkeuren, wat doe ik dan? Ach wat een onzin, natuurlijk trek ik me er niets van aan.

'Je bent toch wel zuinig op hem?'

'Zuinig? Hoe bedoel je zuinig?'

'Nou, dat hij niet wegloopt. Zoals Robbert.'

'Robbert is niet weggelopen omdat ik hem niet genoeg aandacht gaf.'

'Hij is ook niet weggelopen omdat hij zo gelukkig was met je.'

Ik snijd in mijn vinger.

'Shit.'

Ik steek mijn vinger in mijn mond.

'Kijk dan ook uit. Dat mes is net geslepen. Dat had ik moeten zeggen. Je bent ook veel te wild en onhandig. In dat kastje daar liggen pleisters.'

Ze wijst naar een kastje aan de andere kant van de keuken en neemt nog een slok wijn.

Ik loop naar het kastje en pak er een doosje pleisters uit. Het zijn kinderpleisters met Walt Disney-figuurtjes. Ik priegel een pleister met de afbeelding van Dopey uit het pakje. Ik geef hem aan mijn moeder.

'Zou jij hem er even om willen doen?'

'Tuurlijk, schatje.' Ze zet haar glas neer en pakt de pleister aan.

'Je weet hoe erg papa het vindt dat Robbert en jij uit elkaar zijn, hè. Hij laat het niet merken, maar hij vindt het heel erg. Hij mist Robbert. Hij zei het gisteravond nog tegen me. Het is een leuke jongen, die Rig, maar het is niet Robbert.'

Ze drukt de pleister aan waarbij ze haar nagels een beetje in mijn vel duwt.

'Ik vind het ook erg, mam. Ik was liever bij elkaar gebleven. Scheiden is zwaar en niet aan te raden.'

'Precies. Daarom zijn je vader en ik ook nog bij elkaar. Iedereen gaat door moeilijke periodes heen in zijn huwelijk. Het gaat erom dat je ervoor vecht.'

Dat hebben mijn ouders wel heel letterlijk genomen.

Nee, schatje, ga maar weer naar bed. Er is niets aan de hand.

Papa is een beetje boos omdat mama tegen een keukenkastje is aan gelopen.

'Er zijn situaties denkbaar,' ik zeg het voorzichtig, omzichtig, niets breken, niet als een olifant door een porseleinkast, maar rustig nu, *tiptoe through the tulips*, ik loop als een neushoorn die een balletdanser nadoet door het materiaal van mijn moeder, 'waarin het beter zou zijn voor twee mensen om uit elkaar te gaan. Bijvoorbeeld voor de kinderen.'

Ik kan het niet laten. Ik kan het gewoon niet laten. Ik móét het zeggen. Ik wil niet, maar ik moet. Het is sterker dan ikzelf.

'Heb je het over ons? Wij hebben alles gedaan om jullie gelukkig te maken, er alles aan gedaan om ons huwelijk te laten slagen. En we zijn nog steeds bij elkaar.'

Ze hebben een slaapkamerdeur die is beplakt met schuimrubber om de kamer af te sluiten waarin Boef werd opgesloten als hij lastig was. Waarin papa soms verdween en pas terugkwam als het stil was.

'En het feit dat jullie nog bij elkaar zijn betekent dat het huwelijk geslaagd is?'

'In zekere zin wel.'

In zekere zin wel. Hik. Ze zou moeten hikken. Als ze had gedaan alsof ze moest hikken, dan was het grappig geweest. Maar ze hikt niet. Ze meent het.

'Neem goede raad van je moeder aan. Geef hem genoeg aandacht. Kook je lekker voor hem?'

'Ik neuk hem lekker, is dat ook goed?' zeg ik vinnig.

'Iris!'

'Wat is lekker?' Sonja stapt de keuken binnen.

'Het eten, het eten is lekker,' zeg ik. 'Het eten dat ik zo ga maken, als ik de kans krijg tenminste. Waar is die burrata nou weer? Waarom ruim je alles op wat ik neerzet? Ik zet het toch niet voor niks neer.'

'Heb jij es niet zo'n brutale mond. Ik heb hem in de koelkast gezet. Dat is nou precies wat ik bedoel. Als je zo tegen hem doet is hij zo weg, hoor.'

Jij zult nooit iemand vinden die met je wil trouwen, want je bent niet lief.

Je bent niet mooi en je bent niet lief. Niemand zal jou ooit willen.

Ze zei het om me te dresseren, om me te laten doen wat zij wilde.

Het was de zweep waardoor het paard harder gaat lopen.

'Wie gaat er weg?' vraagt Sonja.

'Ja, mam, ik weet het, je hebt als kind vaak genoeg tegen me gezegd dat ik nooit zou trouwen, omdat ik niet lief was. De boodschap is heus wel aangekomen, hoor. Ik voldoe niet als vrouw. Ik ben niet goed genoeg om mee te trouwen. Ik weet het en elke dag vecht ik ertegen. Die burrata moet op kamertemperatuur blijven, dan is hij het lekkerst. Ik kook, dus gewoon overal van afblijven. Oké?'

'Stel je niet zo vreselijk aan.'

'Ik stel me niet aan.'

'Hé, jullie hebben toch geen ruzie?' sust Sonja. 'Geen ruziemaken nu, Iris.'

Geen ruziemaken, Iris? Het ligt aan mij. Welja. Dat krijg je ervan. Rustig. Denk aan punaises.

'Mijn tandvlees trekt zich terug.' Sonja duwt met haar wijsvinger haar bovenlip omhoog en buigt zich naar mijn moeder. 'Zie je?'

'Ja, dat ga je krijgen op deze leeftijd,' zegt mijn moeder. 'En het wordt nog veel erger.'

'Is dit een onderwerp om nu over te praten?' zeg ik.

'Dat mag ik toch wel zeggen? Ik heb er last van als ik iets kouds eet of drink.'

'Dan eet je alleen nog op kamertemperatuur. Is het probleem opgelost,' zegt Boef die de keuken binnenstapt om wat ijsblokjes in zijn glas whisky te gooien.

'Weet je wel hoe laat het is?' zegt Sonja.

'Jazeker. Hoog tijd voor een borrel. Wat eten we vanavond?'

'Ja, begin jij ook nog een keer. Dat gaat je niks aan.'

'Ik ben al weg.' Hij grijnst en terwijl hij met zijn glas rammelt, loopt hij de keuken weer uit.

Ik leg de sneetjes brood onder de grill en hak wat verse rozemarijn fijn.

'Je gaat niet ongezellig doen, hè, vanavond. We gaan de cadeautjes openmaken voor papa. Het moet gezellig worden.'

'Heel gezellig, ja,' brom ik.

'Wat ga je maken?' vraagt Sonja. 'Moet ik je helpen?'

'Nee, ik doe het liever alleen. Als ik hulp nodig heb dan geef ik wel een gil. Hoe vaak moet ik dat nou nog zeggen?'

Ze begint de doos die op tafel staat leeg te halen en zet de boodschappen op tafel. Ik kan zeggen wat ik wil, maar niemand die het hoort. Ze doen wat ze willen, of ik het nou leuk vind of niet.

'Het was heerlijk vanmorgen in Lucca, mam. Het was zo lang geleden dat ik er was geweest,' zegt Sonja onverstoorbaar.

30

GELUK

Het was zeker heerlijk vanmorgen. Door pure opwinding werd ik vroeg wakker. De zon was al op en scheen door de ramen naar binnen. Ik voelde me zielsgelukkig. Het huis was nog in diepe rust en er waren geen andere geluiden te horen dan de geluiden van de natuur. Ik verheugde me erop om inkopen te gaan doen voor het eten vanavond. Ik herinnerde me dat het marktdag was vandaag. Ik ging op mijn rug liggen en ontspande me. Ik draaide mijn hoofd naar rechts en keek in het slapende gezicht van Rig. Een man die slaapt zonder geluid. Ook dat is geluk. De afwezigheid van iets. In dit geval van gesnurk. Als je maar lang genoeg bent getergd door een zaagmachine naast je, dan weet je zoiets te waarderen. Een stille man in bed. Hij lag op zijn zij met zijn handen voor zich gevouwen. Gebruinde handen. Ik schoof een stukje naar beneden en snuffelde eraan. Lekker. Het liefst wilde ik erin bijten, maar ik wilde hem niet wakker maken. Ik genoot van de rust. Niets zo heerlijk als rust, stilte en ontspanning. Dat is voor mij geluk. Ik gleed het bed uit en ging douchen. Voor de spiegel hield ik even mijn linkerhand naast mijn gezicht en kon een glimlach niet onderdrukken. Toen ik de slaapkamer weer binnenkwam, lag Rig met zijn armen onder zijn hoofd gevouwen op het kussen.

'Zal ik een kopje koffie voor je maken?' vroeg ik.

'Graag,' zei hij en hij gaf me een kus op mijn schouder en rolde het bed uit. Ik ging op mijn linkerzij liggen, waardoor ik zicht had op het raam dat de slaapkamer van de badkamer scheidt.

Door het glas-in-loodraam keek ik naar hem en hoe hij zich uitrekte. Hij inspecteerde zijn gezicht. Hij vroeg zich af of hij zich moest scheren. Hij heeft een zware baardgroei, dus als hij gladde wangen wil hebben, moet hij zich twee keer per dag scheren. Het was dus een volstrekt overbodige vraag die hij zichzelf stelde. Hij wist het antwoord. Hij had geen zin om zich te scheren, daarom twijfelde hij. Hij keek naar me. Vragend zonder woorden. Ik schud mijn hoofd. Doe maar niet. Laat maar zo. Het is goed zo. Ik steek mijn duim op. Hij glimlacht. 'Kom je ook, wil je samen met mij onder de douche?' gebaarde hij. 'Nee, ik blijf lekker liggen en ik geniet op afstand van je,' gebaarde ik terug. Soms ben ik net een kat, als ik zoals vanmorgen ontspannen ben en mijn lichaam de juiste temperatuur heeft en heerlijk in een schoon bed ligt, dan moet ik er niet aan denken om water op mijn huid te voelen. Hij wreef nog even over zijn kin en verdween achter de muur met lichtblauwe Marokkaanse tegeltjes.

Terwijl ik me aankleedde ving ik door het raam een glimp op van iets wat zich over een van de boven gelegen terrassen bewoog. Een vos. Dan is ze weg, verborgen achter de brem en wilde rozenstruiken.

Niet lang daarna gingen we in de auto op weg naar de ommuurde stad Lucca. Flauwe bochten in de sluisachtige straten. Het goudkleurige, verbrokkelde licht van de etalages van de antiekwinkels, en de wijdverspreide geur van espresso en versgebakken zoet anijsbrood. Winkeliers sprenkelden met gieters water rond hun ingangen, glipten de bars in om vlug een kop koffie te drinken en lieten hun winkels onbewaakt achter, de deuren open. Een man liep voorbij met een cyperse kat balancerend op zijn schouder. De kat, staart recht omhoog, deinde mee als een surfer. In de *alimentari* van Renzo zag ik de eerste mand met hazelnoten met de kraagjes er nog om, wat me op het idee bracht om de notentaart te maken. De zon scheen, het was idioot warm voor de tijd van het jaar. Zwijgend liep ik hand in hand met Rig. Sonja liep te babbelen zonder dat ik aandacht aan haar hoefde te besteden. Rig babbelde terug. Hij nam de honneurs waar. Geluk. Dat is de ellende als je het geluk leert kennen. Je gaat het ongeluk sterker voelen. Nooit eerder heb ik zo sterk gevoeld hoe ongelukkig deze mensen mij maken, omdat ik nu voel wat het is om zo gelukkig te zijn. De dag wordt helderder, waardoor de nacht zwarter wordt.

31

KALFSPASTEITJE? FONDUETJE?

Ik ga aan de taart beginnen. Taarten bakken heeft een levensreddende eigenschap.

'En weet je dat die Renzo nog steeds in die supermarkt werkt?' zegt Sonja.

Renzo is een van haar vele vakantieliefdes. Hij stond achter de counter met vleeswaren en kazen. Geroutineerd en schijnbaar gedachteloos bediende hij me. Onbewust van het feit dat ik de zus was van het eerste meisje dat zijn hart brak. Sonja was ondergedoken achter het schap met bier en frisdrank. Ze wilde hem niet zien. Terwijl hij mijn boodschappen woog en inpakte zag ik hoe hij iedere vrouw die langsliep heel kort opnam. Soms likte hij even over zijn lippen. Onverstoorbaar geconcentreerd op de vrouwen die voorbijkwamen. Het schijnt dat iedere man zich bij iedere vrouw afvraagt of hij met haar naar bed zou willen en zo ja, meteen de inschatting maakt of hij haar zou kunnen krijgen. Achter de toonbank had Renzo allang besloten hoe de kaarten erbij lagen in mijn geval. Of hij was niet geïnteresseerd, of hij had met één oogopslag ingeschat dat hij geen kans maakte, want ik zag geen tong langs zijn lippen glijden en zijn uitdrukking was volstrekt ongeïnteresseerd. Zelfs voor het verrukkelijke eten waarmee hij was omringd leek hij geen enkel enthousiasme te koesteren. Terwijl ik de vakantieliefde van mijn zus observeerde, realiseerde ik me hoe heerlijk ik het zou vinden om met grote hammen in de weer te zijn, dikke plakken spek af te snijden en hompen kaas in bakjes te laten vallen. Het geluid van eten, hoe het voelt, en om er met aandacht en liefde mee om te gaan; ik vind het heerlijk. Als kind speelde ik vaak slagertje met de runderlappen die mijn moeder in de koelkast had liggen. Op zondagochtend wanneer iedereen nog sliep, liet ik de runderlappen flatsen op het aanrecht, waarbij ik telkens aan een imaginaire klant vroeg of het iets meer mocht zijn.

'Renzo? Ken ik die? Heb ik die ooit gezien?' vraagt mijn moeder.

'Waarschijnlijk niet,' zeg ik en begin de hazelnoten te hakken.

'Wat bedoel je daarmee?' zegt Sonja.

'Daar bedoel ik helemaal niks mee.'

'Renzo? Is dat die donkere jongen?' zegt mijn moeder terwijl ze in een kookboek bladert.

'Maak je een antipasto voor vanavond?' vraagt Sonja.

'Nee, ik ga een voorgerecht van koningskrab maken.'

'Als voorgerecht?'

Weet je wat. Ik doe gewoon alsof ik het niet hoor en ik ga verder met wat ik wil zeggen.

'En ik wil de burrata doen, want dat kan ik in Nederland niet krijgen. Niet echt vers in elk geval.'

'Koningskrab in combinatie met burrata? Is dat lekker?' vraagt Sonja.

'Waarom heb je geen carpaccio van zwaardvis gehaald? Dat is toch veel makkelijker? Ze hebben nog wel zo'n fantastische visafdeling bij de supermarkt en daar hebben ze voorgesneden rauwe vis. Zeebaars of tonijn,' zegt mijn moeder.

'Tonijn kan niet meer, mam. Dat is niet meer verantwoord,' zegt Sonja. 'En je weet hoe Iris is als het om duurzaam eten gaat.'

Ik zie vanuit mijn ooghoeken dat ze met haar ogen draait ten teken dat ik reuze lastig ben als het om duurzaam en verantwoord eten gaat. De tranen staan in mijn ogen. Mijn moeder en mijn zus, en ze zijn niet aardig, gewoon niet aardig. En ik ben ook niet aardig. Ik vind mezelf niet een leuk en lief en fijn mens als ik bij hen ben. En dat vind ik mezelf wel als ik bij Rig ben. Waar is hij eigenlijk? Ik wil naar hem toe. Hij moet bij me blijven. Hij mag me geen seconde uit het oog verliezen. Dat is niet goed voor me.

'Wat doet Rig eigenlijk voor werk?' vraagt mijn moeder.

‘Hij is milieuadviseur of zoiets,’ zegt Sonja.

‘In het topkader?’

Gelukkig ben ik geen punaise. Gelukkig ben ik geen punaise.

‘Iris? In het topkader?’

‘Wil je weten wat hij verdient?’

‘Nou, dat lijkt me een niet onbelangrijk detail, toch?’

‘Mam, het kan me geen barst schelen wat hij verdient. Hij heeft lol in zijn werk en ik heb lol in hem, wat wil je nog meer?’

‘Louis Vuitton en Prada.’

Sonja en mijn moeder schieten in de lach.

‘Een man verveelt en een Louis Vuitton verveelt nooit, en als hij verveelt, loop je naar de winkel en koop je een nieuwe. Zo simpel is dat. En wat houdt dat in “milieuadviseur”? Het klinkt nogal antroposofisch. Laat je vader het maar niet horen, die kan daar niet tegen, hoor.’

‘Hij is ook zanger en gitarist in een band.’

‘Als het de Golden Earring is, vind ik het goed.’

Ze barsten weer samen in lachen uit. Mijn hart gaat tekeer.

‘Ik ga eerst es even deze boodschappen opruimen, anders bederft de boel.’

Sonja begint de boodschappen van tafel te pakken en loopt met haar armen vol naar de koelkast.

‘Die boter moet uit de koelkast blijven, die heb ik zo nodig. Laat alles maar gewoon op tafel liggen. Dat hysterische idee dat eten meteen bederft.’

‘Doe es niet zo aangebrand.’

‘Ik doe niet aangebrand. Ik snap het commentaar niet dat ik voortdurend krijg. Laat me koken of niet en laat het me op mijn manier doen.’

‘En wat eten we verder?’

‘Pasta met truffel. En lamszadel en een notentaart.’

‘O, dat is lekker,’ zegt mijn moeder.

Hoorde ik dat goed? *Hallelujah. A change is gonna come.*

‘Ik hou niet van truffel,’ zegt Sonja. ‘Die grondsmaak, daar moet je echt van houden. En ik geloof dat papa er ook niet van houdt.’

Commentaar. Altijd commentaar. Nooit, 'o, wat heerlijk!' Er móét gemopperd worden. Het is een levensbehoefte. Zonder commentaar zouden ze zich geen raad weten. Ze zouden hun identiteit verliezen als ze geen commentaar leveren. Wie zouden we zijn zonder venijn? In dit huis krijgt iedereen uit gewoonte op zijn kop. Laten we het daarop houden. Om erger uit te sluiten. Erger is onverdraaglijk. Rationeel bezien is kritiek uit gewoonte te verdragen.

'Jawel, papa houdt wel van truffel. Hij is ervan gaan houden door Italië. Het heeft even geduurd, maar hij vindt het echt wel lekker nu.'

'Anton vindt het ook niet lekker, maar ja, die eet het wel, hoor. Die eet alles.'

'Als jullie nou es de keuken uit gaan en mij hier lekker laten rommelen, is dat geen beter idee?'

'Nou, dat is ook ongezellig. Zijn we es met elkaar op vakantie, wil je alles alleen doen.'

Omdat jullie me zwaar op mijn zenuwen werken, daarom ja. Dat is het grappige. Ze ervaren het commentaar zelf helemaal niet als bezwarend. Zo gewoon is het.

'Als jij me dan es uitlegt wat we vanavond zouden moeten eten, dan maak ik dat. Oké? Vertel maar. Zal ik kalfsragout maken? En een fonduetje in elkaar flansen? Gourmetten? Zullen we gaan gourmetten? Met z'n allen een eitje bakken en dan zeggen: "Gezellig, hè?" Is dat een idee?'

Ik ben overstuur. Ik ben echt heel erg overstuur, maar ik geloof niet dat ze het doorhebben.

'Wat maakt het nou helemaal uit wat we eten?' zegt Sonja.

'Iris wil niet zeggen hoe oud die vriend van d'r is. Jij een wijntje?' Ze houdt een nieuwe fles omhoog en kijkt Sonja aan.

'Ja mam, schenk maar in.' Mijn moeder schenkt. 'Iris, jij echt geen wijntje?'

'Nee, ik neem een glas water, als ik klaar ben neem ik wel een wijntje.'

'Nou, mam, dat kan ik je wel vertellen, die is eenendertig.'

'Eenendertig? Maar dat is toch veel te jong.'

'Waarvoor?' zeg ik. 'Waarvoor is hij te jong? Hij is volwassen, hij mag stemmen, hij mag seks hebben en alleen met het vliegtuig gaan.'

'Wil hij geen kinderen?'

'Nee.'

'Hebben jullie het daar al over gehad?'

'Ja. Meteen de eerste avond. Hij vindt het belangrijker om een goede relatie te hebben en hij is nog nooit zo gelukkig geweest, zegt hij. Dan maar geen kinderen.'

'Dat zegt hij nu, maar ja, een man kan op zijn vijftigste nog aan kinderen beginnen. Die heeft alle tijd, dat snap ik wel. Die wil eerst de bloemetjes buitenzetten.'

'Die wil eerst de bloemetjes buitenzetten voor hij aan een groen blaadje begint,' zegt Sonja.

Mijn moeder grinnikt.

Mijn zus is gevat vandaag. Dat maken we niet vaak mee.

'Robbert is zwanger. Wist je dat, mam? Die krijgt binnenkort een kindje.'

'Robbert was niet gelukkig met zichzelf en denkt dat een kind de oplossing voor dat ongeluk is. Net zoals jullie hebben gedacht toen jullie drie...' – ik houd drie vingers op om mijn woorden kracht bij te zetten – '... dríé kinderen op de wereld gezet hebben. En? Heeft het geholpen?'

Ik vecht tegen mijn tranen. Mijn moeder doet alsof ze niet heeft gehoord wat ik zeg. Alles wat ik zeg wat op een ander niveau communiceert dan haar werkelijkheid wordt volledig genegeerd.

'Jullie zijn nu nog verliefd. Hij ziet alles door een roze bril.'

'Ik weet echt wel het verschil tussen een roze bril en echte liefde.'

'Echte liefde? Toe maar. En wat is het verschil?'

'Wat is dat?' Sonja kijkt als een ekster naar mijn linkerhand. 'Die had je gisteren niet om.'

Alles wat blinkt en glinstert trekt haar aandacht.

'Nee, dat klopt,' zeg ik. 'Dat, mijn beste Sonja, is nou een ring.' Ik houd mijn hand naast mijn gezicht. Ik wil het niet vertellen, maar mijn triomfantelijke blik vertelt alles. Ik wil niet triomfantelijk kijken, maar het gebeurt. Ik wil de rivaliteit niet voelen en aangaan, maar ik doe het toch. Ik ben ook maar een mens. Ze kijkt me aan. Haar mond valt een klein stukje open.

'Is dat wat ik denk dat het is?'

'Het is een verlovingsring,' verduidelijk ik. 'Hij heeft me ten huwelijk gevraagd.'

'O, mijn god,' zegt mijn moeder en ze legt haar hand op haar borst alsof ze haar hart wil beschermen, alsof ik iets vreselijks heb gedaan wat haar hart zou kunnen verwonden. Ik ben gelukkig. Niets is erger dan gelukkig zijn in een ongelukkig gezin.

'Ga weg,' zegt Sonja.

'Nou nee, dat was ik nog niet van plan. Mijn vlucht vertrekt pas over twee dagen. Maar als jullie erop staan dan wil ik wel...'

Nu we het erover hebben, is dat geen goed idee eigenlijk? Gewoon maar weggaan. *What was I thinking*, om hier te komen. We kunnen geen kant op. We kunnen niet weg. Ik ben gek. Ik ben een winnaar als het gaat om het nemen van de verkeerde beslissingen.

'Gaan jullie trouwen?'

'Daar lijkt het wel op.'

'Wanneer?'

'Daar hebben we het nog niet over gehad.'

'Hij is zestien jaar jonger dan jij.'

'Ja, dat weet ik. Nou en? Leeftijd is een getal. Wij merken het niet. Vanbinnen, hier,' ik wijs op mijn hoofd, 'en hier,' ik wijs op mijn hart, 'zijn we even oud.'

'Als jij zestig bent, is hij vierenveertig.'

'Heel goed uitgerekend. Heel knap.'

'Dan wil hij je niet meer.'

'Wie zegt dat?'

'Ik zeg dat.'

Ik haal mijn schouders op.

'Dan gaan we toch scheiden.'

Nothing lasts forever and we both know hearts can change.

'Ik weet dat ik blij moet zijn met wat me gegeven wordt en dat ik niets kan vasthouden. Het leven deelt cadeautjes uit, geen zekerheden.' Ik zeg het stoer, ik meen het ook, maar hoe goed ik ermee om kan gaan moet nog blijken.

'Is er geen mistletoe, dan hang ik die boven de tafel, moet iedereen elkaar zoenen als we aan tafel gaan. Lijkt me een mooi begin van de avond.'

'Het is toch geen kerst?'

'Daarom juist. Zoenen is van alle dagen, waarom alleen met kerst? Ik denk dat het een mooi begin van de avond zou zijn.'

'Je bent gek.'

'Omdat ik mistletoe wil?'

'Nee, omdat je gaat trouwen met een kind.'

'Nou moet je ophouden. Rig is geen kind. Je kent hem niet.'

'Je zegt net zelf dat je denkt dat het niet lang zal duren. Dat is gek.'

'Hoezo? Om te denken dat niets voor altijd is? Om wat losser in het leven te staan?'

'Waarom ga je dan trouwen, als je toch weet dat het niet voor altijd is?'

'Ik zeg niet dat het niet voor altijd is. Ik wíl dat het voor altijd is, maar of dat gaat lukken weet ik niet. Dat kan ik niet weten. Het leven trekt zijn eigen plan. Ik persoonlijk vind het al heel bijzonder om iemand tegen te komen bij wie ik graag wíl dat het voor altijd is. Dat vind ik bijzonder genoeg. Door te trouwen spreek ik de wens uit voor altijd bij iemand te willen blijven en daar mijn best voor te willen doen.'

Dat heb ik netjes uit mijn hoofd geleerd en komt nu mooi van pas.

'Ik dacht dat het een bevlieging was. Een *rebound man* om van Robbert af te komen. Je stevent willens en wetens af op een gebroken hart. Zou je het niet wat rustiger aan doen?'

'Sonja, ik ben nog nooit zo gelukkig geweest. We vrijen de sterren van de hemel.'

'Praten jullie weleens?' vraagt mijn moeder.

Alles wat ik niet wil horen gewoon negeren; dat kan ik ook. Ik gooi de gehakte hazelnoten in een kom.

'Zou je mij de boter even aan willen geven, die daar op tafel ligt?'

Sonja geeft mij de boter aan. Ik vouw het pakje open en gooi de boter in de Magimix. Beetje zout erbij.

'Gaat het om de seks? Ja, die is natuurlijk goed met zo'n jonge god.'

'Die is goed omdat we stapelgek op elkaar zijn. Leeftijd heeft er niks mee te maken. Geef even de basterdsuiker aan, wil je?'

'Het is in de mode om met een oudere vrouw te zijn. Kijk naar Demi Moore,' zegt mijn moeder.

'Die is ook verlaten voor een jongere vrouw. Kijk naar Patricia Paay,' zegt Sonja. 'Je eindigt eenzaam en alleen als je met een jonge man trouwt.'

Wrijf het er maar in, jongens. Wrijf het er maar in.

'Is het weleens bij jullie opgekomen dat mensen voor elkaar vallen omdat ze het leuk hebben met elkaar? Alleen maar dat? En hoe bijzonder het is om het leuk met elkaar te hebben?'

Mijn moeder en mijn zus hebben het misschien wel nooit echt leuk met iemand. Dus hoe kunnen ze weten waar ik het over heb?

'Wat is er zo leuk aan hem?' vraagt Sonja.

'Hij is goed. Hij deugt. Hij is attent. Hij kan veel. Knutselen, klussen, surfen, mountainbiken, auto's in en uit elkaar halen, hij rijdt in een oldtimer die hij zelf opknapt, dat vind ik leuke dingen. Mannendingen. Hij is handig, grappig, slim, en hij is lief voor me.'

En hij is woest aantrekkelijk en weergaloos goed in bed. Dat ook. Maar laat ik dat voor me houden, dit is al erg genoeg.

'En hij behandelt me niet als een klein kind en gedraagt zich niet als een patriarch.'

'Een patriarch?' vraagt mijn moeder met licht overslaande tong.

'Zoiets als papa, mam. Een tiran. Iemand die zijn tirannie gerechtvaardigd ziet in het feit dat hij de pater familias is en denkt dat hij daarom alles voor het zeggen heeft en dat hij zich ongelimiteerd slecht kan gedragen. Sterker nog, hij gedraagt zich slecht maar vindt het oké van zichzelf. De rest deugt niet, hij wel. Dat versta ik onder patriarchaal. Iemand die het vrouwelijke niet weet te waarderen. Iemand die van vrouwenvlees houdt, maar niet van vrouwen.'

Wat in sommige gevallen heel begrijpelijk is overigens.

'Misschien moet je even aan het water gaan, mama, we hebben nog een hele avond voor de boeg.'

Ze blaast mijn commentaar weg.

'We hebben het gewoon heel erg leuk samen.'

'En met leuk bedoel je goeie seks?'

'Onder andere. Ik vind dat heel belangrijk in een relatie. Daar heb je toch een relatie voor? Om die intimiteit met elkaar aan te gaan. Of zie ik dat verkeerd?'

'Ja, dat is zo. Helemaal waar,' zegt mijn moeder en ze gooit haar glas achterover. 'Iemand nog wijn?'

'We lachen, we praten en we neuken. Volgens mij heb je het dan leuk met elkaar. Ik wil zonder problemen kunnen slapen, eten en neuken met iemand. Gewoon *the bare necessities.* De basics. Ik heb simpele behoeften. En weet je hoe moeilijk het is om dat te vinden? Ik voel me goed als ik bij hem ben. Zo heb ik me bij Robbert nooit gevoeld, bij hem liep ik altijd mijn best te doen. Dit is anders.'

'Natuurlijk is dit anders. Je bent verliefd. Zo was het met Robbert ook in het begin.'

'Nee, dat was het niet. Ik ben niet achterlijk, ik weet heus wel wat ik voel.'

'Ik denk dat je er goed aan zou doen het wat kalmer aan te doen. Hoe lang kennen jullie elkaar nou helemaal?'

'Je hoeft iemand niet lang te kennen om te weten of je bij iemand wil blijven.'

'Natuurlijk wel. Wacht maar tot je z'n vuile sokken vindt.'

'Ach, hou toch op met die uitgekauwde clichés. Ik raak niet in de war van vuile sokken. Ik raak in de war als iemand niet lief voor me is, als iemand me tiranniseert, als iemand me bekritiseert, als ik op mijn tenen moet lopen. Dan zijn vuile sokken opruimen een makkie. Laat mij es wat vragen. Ben jij gelukkig met Anton?'

'Natuurlijk ben ik gelukkig met Anton. Wat een vraag.'

'Wanneer hebben jullie voor het laatst seks gehad?'

'Op deze leeftijd zijn andere dingen belangrijk.'

'O ja? Ga je me nou vertellen dat ik over een paar jaar andere dingen in een relatie belangrijk vind? Ga jij me nou vertellen dat jij geen fantasieën meer hebt? Dat je niet als je naast Anton ligt of misschien zelfs ónder Anton je heimelijk droomt over zwetende, hijgende seks met twee negers in een oranje overall?'

'Ik ga even liggen,' mompelt mijn moeder.

'Ik fantaseer niet over seks.' Sonja snuift en neemt een flinke slok wijn.

'Dat zou je es moeten doen. Er gaat een wereld voor je open.'

En een beetje citroenrasp bij de boter en de basterdsuiker.

'Als je kinderen hebt gaat het om andere dingen in het leven.'

Ha, ze heeft hem gevonden. De zwakke plek. Ze is moeder en dat maakt haar superieur. Het ontneemt mij alle recht van spreken als het over het leven gaat. Ik doe niet mee, want ik heb geen kinderen. Eigen schuld, dikke bult.

'Volgens mij gaat het in het leven om gelukkig zijn. En dat is voor iedereen moeilijk en iedereen doet dat op zijn eigen manier. Ik vraag je alleen maar of je gelukkig bent, want die indruk wek je niet. Maar misschien ben je zo gewend aan je eigen ongeluk dat je het niet eens meer als zodanig herkent. En als je het mij vraagt zou je best willen scheiden en het leven op de proef stellen om te kijken wat het je nog meer te bieden heeft, als je er niet zoveel voor op moest geven. En als je niet zo'n hoge hypotheek zou hebben die jullie allebei in de problemen brengt als jullie uit elkaar zouden gaan. Scheiden is een luxe die jullie je niet kunnen permitteren. En Robbert kon het zich permitteren om bij me weg te gaan. Dat is mazzel of pech, het is maar hoe je het bekijkt. En als je dat gewoon toegaf konden we een ander gesprek hebben in plaats van te kijken wie van ons gelijk heeft.'

'Ik wil gewoon niet dat je hart weer gebroken wordt en je weer verdriet wordt aangedaan.'

'Daar ben je dan lekker vlot mee, met die bezorgdheid.'

'Wat bedoel je daarmee?'

'Dat je je nooit zo om mij hebt bekommerd. Je hebt je niet om mij bekommerd toen je me de boom uit duwde.'

Geef maar. Kom maar hier met die deken. Ja, kom nog maar een stukje omhoog.

Nee, die ladder valt niet om. Je moet niet altijd zo bang zijn. Ik houd de ladder goed vast.

'Welke boom? Ik heb je nooit een boom uit geduwd. Hoe kom je daar nou bij?'

'Weet je wat ik denk? Ik denk dat je het niet kan uitstaan. Ik, die nooit gelukkig was, ik die altijd liep te tobben, ik verbreek opeens de code door gelukkig te zijn. Door de jackpot te winnen.'

Ze klemt haar kaken op elkaar.

'Spannend, hè?' zeg ik.

'Wat?'

'Vanavond. Verheug jij je ook zo op vanavond?'

32

LA PISCINE

Ik ga bij het zwembad liggen op een van de ligstoelen die op een rij staan onder een pergola waar een grote druivenplant overheen groeit. Trossen druiven hangen aan de zijkant met verrukkelijke kleine druiven. In de zon gerijpt, met weinig pitten, vol van smaak en zoet door de vele zonuren. Ik pluk wat trosjes en steek er een paar in mijn mond. In de verte hoor ik de pony's klingelen. Ik moet er straks even naartoe om ze een appeltje te geven. Mijn moeder is in de weer met haar rozen.

De taart staat in de oven, het lam ligt in de braadpan, ik ben eigenlijk bijna klaar. De pasta is ook niet zoveel werk. Pasta koken, truffel raspen, kaas eroverheen, hoppa. Weinig werk, groot resultaat; het grote voordeel van de Italiaanse keuken.

Rig ligt naast me op een van de andere ligstoelen te dutten. De zon staat er pal op. Ik leg een handdoek over zijn benen om hem te beschermen tegen verbranding. Het is mij te heet en ik zoek de schaduw op onder de olijfboom een eindje verderop. Ik wikkel mijn pareo om me heen, ga op mijn buik in het gras liggen en sla mijn boek open. Uit de stenen muur aan de zijkant die het terras van het grasveld scheidt, groeien grote struiken madeliefjes. Boven aan de muur begint het grasveld waar verspreid enkele fruitbomen staan. De kappertjesplant staat in bloei. Als kind heb ik ooit geprobeerd een kappertje direct van de plant te eten, maar dat is me slecht bevallen. Sindsdien weet ik dat een kappertje pas eetbaar is na een ferm pekelbad.

Er ploft iemand naast me neer. Het is Boef.
'Hé.'
'Hoi.'
'Rustige gozer, die vriend van je.'
'Ja.'
'Niet saai?'
'Nee. Helemaal niet saai.'
'Is hij wel spannend genoeg voor je?'
'Jaha.'
'Je bent niet erg spraakzaam vandaag.'
'Boef, ik lig lekker in het zonnetje. Ik lig te doezelen.'
'Vind je het goed als ik er even naast kom doezelen?'
'Als je je kop maar houdt, dan vind ik het best.'
'Oké, hou ik mijn mond. Zoals u wilt.'
Het is even stil.
'Maar zingen mag wel toch?

Maar soms ben ik als kolkend lood
Ik ben het leven en de dood
In vuur, in liefde, in alle tijden
M'n kind ik troost je, kijk omhoog
Vandaag span ik mijn regenboog
Die is alleen voor jou.'

Dat laatste fluistert hij in mijn oor.

'Boef, toe nou, ik vroeg of je stil wilde zijn. Het is net zo lekker rustig.'

'Jezus, wat een saaie muts ben jij geworden.'

'Ik ben niet saai, ik ben moe, ik wil me ontspannen en even een dutje doen voor ik verderga met het eten. Het zou weleens een lange avond kunnen worden.'

'Hoezo?'

Hij steekt een lange grasspriet in zijn mond en begint erop te kauwen.

'Er is veel eten.'

'O, dat.'

'Ja, dat.'

'Wat geef jij aan papa?'

'Dat zie je straks wel.'

'Is dat grote pak van jou?'

'Ja.'

'Gaat hij daar blij mee zijn?'

'Geen idee, we merken het wel.'

'Hé, vertel nou wat erin zit, straks hebben we hetzelfde gekocht. Blijkt onze telepathie nog heel goed te werken, ook al zien we elkaar nooit meer. Wat ik wel jammer vind overigens.'

'Het ligt niet aan mij dat we elkaar nooit zien, je weet waar ik woon.'

'Druk, druk, druk.'

'Ja, het zal wel.'

Druk waarmee? Ik vraag er niet naar. Ik krijg toch geen helder antwoord.

Er loopt een grote wesp bedachtzaam over mijn boek. Nieuwsgierig en met gelijkmatige tred kijkt hij af en toe over de zijkant en vervolgt dan zijn weg langs de rand. Hij heeft lange poten en het lijkt alsof hij sokjes aanheeft. Kleine voetjes met klauwtjes om zich vast te houden. Als ik maar lang genoeg naar hem kijk, ga ik vanzelf ontzag en bewondering voor het dier voelen waarvan ik me herinner dat ik er als kind als de dood voor was. Nu bewonder ik vooral de moed waarmee hij over mijn boek loopt, even stilhoudt, zich onbespied en veilig waant en op zijn gemakje zijn kop gaat zitten schoonmaken. Met zijn voorpootjes wrijft hij over zijn kop en glijdt langs zijn voelsprieten. Onwetend van hoe dichtbij de dood is. Ik hoef het boek maar dicht te slaan en hij is dood. De dood is altijd dichtbij, een moment, een beslissende klap, of er net naast. Het moment van ontsnapping. Als de wesp is uitgepoetst zit hij even stil. Af en toe bewegen zijn vleugels in de wind. Het is alsof hij nog even uitpuft voor hij zijn weg vervolgt. Dan zie ik hoe hij zijn pootjes schrap zet, de vleugeltjes uitslaat en de lucht in vliegt.

'Ik heb een schilderij voor papa gemaakt. Van ons gezin.'

'Zoho. Daar zal hij blij mee zijn. Hij is altijd dol geweest op dit gezin. Ik zie het helemaal voor me hoe hij voor het schilderij een sigaartje opsteekt en er es lekker naar gaat zitten kijken. Om de schoonheid van het tafereel op hem in te laten werken. Om via het schilderij dat jij ongetwijfeld met bloed, zweet en tranen hebt gemaakt te genieten van de rijkdom van zijn leven. De rijkdom van zijn leven, *my ass*. Echt iets voor hem. Iris, je hebt jezelf overtroffen, het is een weergaloos goed gevonden cadeau. Werkelijk. Chapeau.'

Ik haal mijn schouders op.

'Dan vindt hij het maar niet mooi. Ik had zin om iets te maken. Ik zou niet weten wat ik voor hem moet kopen, hij heeft alles al.'

'Een horloge?'

'Horloge? Alsof ik dat kan betalen en alsof hij er al niet genoeg heeft.'

'Een horlogebeweger dan. Hij kan ze niet allemaal tegelijk dragen en ze moeten wel blijven lopen.'

'En jij denkt dat hij die nog niet heeft?'

'Hoe gaat het eigenlijk met je winkel?'

'Goed. Best wel goed. Ik heb er lol in.'

'Verdien je genoeg?'

'Het gaat. Dat komt wel.'

'En je vriend? Verdient die genoeg?'

'Hé, hou es op zeg, je lijkt papa wel. Ik heb hem nog nooit gevraagd wat hij verdient.'

'Hij moet wel voor je kunnen zorgen.'

'Ik kan prima voor mezelf zorgen.'

'Dat is mooi.'

Hij streelt even over mijn dij.

'Pas je op dat je niet verbrandt.'

'Ik heb me ingesmeerd met factor 30.'

Er zit een foto van ons samen in het familiealbum; Boef is een peuter en ik ben net oud genoeg om rechtop te kunnen zitten. Ik, met een grote bos blond krullend haar, zit voor een kampvuur recht voor me uit te kijken en Boef, gekleed in een ribfluwelen broek met wijde pijpen, geeft me van opzij een dikke kus op mijn wang. Er was ons niet gevraagd om te poseren voor die foto. Het was een spontaan moment dat op de gevoelige plaat werd vastgelegd en een treffende weergave was van de relatie die we in onze vroege jeugd hadden. Niet dat we nooit vochten of ruzie hadden. Natuurlijk. Maar wanneer het erop aankwam, waren we er voor elkaar.

'Denk je er nog weleens aan?'
'Waaraan?'

Houd je van de domme, dan houdt hij erover op. Niet wakker worden. Niet wakker maken.

'Je houdt je van de domme, natuurlijk denk je er nog weleens aan.'
'Ik weet niet waar je het over hebt.'
'Heb je gezien dat hij het heeft laten weghalen.'
'Wat?'
'Het litteken. Hij heeft het litteken weg laten halen. Plastische chirurgie. Hij heeft meteen zijn ogen laten liften geloof ik. Of zijn wallen weg laten halen. Er is iets anders in zijn gezicht. Is je dat niet opgevallen?'
'Ik geloof dat ik dacht dat hij er goed uitzag. Ik denk dat ik dacht dat ik hoopte dat hij misschien gestopt was met drinken.'
Boef begint hard te lachen.
'Wat ben je toch een grapjasje. Klein grapjasje van me.'
Hij duwt zijn hoofd in mijn nek.
'Boef, doe es niet.'
'Mag dat niet van je vriendje?'
'Ik wil het gewoon niet hebben.'
'Je bent mijn zusje, ik hou van mijn zusje, ik wil mijn zusje liefkozen.'
'Laat me. Ik lig even in het zonnetje, laat me.'
'Je daagt me uit om weer een liedje te gaan zingen. Is het je echt niet opgevallen? Zijn gezicht?'
'Zijn gezicht, ja, het is me opgevallen, maar moet ik er dan iets van zeggen? Als hij er zelf niet over begint, waarom zou ik er dan

over beginnen? Je weet hoe hij is, het kan zomaar tegen het zere been zijn.'

Ik vervorm mijn stem tot de lage basstem van mijn vader: '"Hoezo heb ik iets aan mijn gezicht laten doen? Was er iets mis mee dan?" Ik hoor het hem zeggen. Waarom heeft hij het litteken weg laten halen?'

Boef haalt zijn schouders op.

'Hij heeft misschien het verleden willen uitwissen.'

'Maar hij weet toch niet wat er is gebeurd? Of wel?'

Het was een spel. We waren Batman en Robin. We droegen de slaapmaskers van papa en mama waar we gaten in hadden geknipt. Hij was Batman, ik was Robin. Het was een fantasiespel. Mijn vader was de kwade genius die onschadelijk gemaakt moest worden, die een grote bedreiging was voor de vrede in de wereld. Hij lag zijn roes uit te slapen op een ligstoel bij het zwembad. De pergola stond er nog niet. Het plan ontvouwde zich. De vijand moest dood. Wij zouden helden zijn. Wij gingen de wereld redden van The Joker.

'Misschien.'

'Boef?'

'Ja.'

'Heb jij weleens gedacht wat er gebeurd zou zijn als het anders was gelopen?'

'Hoe anders?'

'Met wenselijke afloop.'

'En dan bedoel jij wat ik denk dat je bedoelt?'

Ik kijk hem alleen maar aan.

'Iris.'

'Ja?'

'We hadden beter moeten mikken.'

'Nooit iemand vertellen. Wil je me dat beloven?'

'Beloof ik. Heb jij het ooit iemand verteld?'

'Nee.'

'Ook Sonja niet?'

‘Zeker Sonja niet.’
‘Beloof jij het ook?’
‘Ja.’
‘*Cross your heart and hope to die?*’
‘Ja.’
‘Afgesproken. *Guilt and fear are the only enemies of man. Guilt is the feeling that keeps you stuck in who you are not.* Shakespeare. Geloof ik.’
Hij grijnst en geeft me een kus op mijn voorhoofd.
‘Ik ga wat te drinken halen, jij ook?’
‘Nee, ik ga even zwemmen.’
Ik sta op en duik in het zwembad. Ik zwem een eindje onder water. Nog steeds onder water keer ik me om en zie dat Boef op de rand van het zwembad naar me staat te kijken.

33

VANILLEMAYONAISE

'Hè, wat gezellig. Gezellig hè, jongens.'

Mijn vader staat aan het hoofd van de tafel met in zijn ene hand een fles rode wijn en in zijn andere hand een fles prosecco en kijkt blij in het rond.

We zitten buiten aan de stenen tafel die ik voor de gelegenheid heb gedekt met een wit linnen tafelkleed. Bloemen uit de tuin heb ik her en der over de tafel verspreid. Dat oogt lekker feestelijk. Een schaal met vers fruit en hier en daar een trostomaatje voor de kleur, een stapeltje brood waar ik rozen overheen heb gedrapeerd samen met takjes van de olijfboom. Dat doet het altijd goed als decoratie. Kortom, ik heb mijn best gedaan, al zeg ik het zelf. Een met bloemen gegraveerde glazen karaf die nog van mijn grootmoeder is geweest heb ik gevuld met olijfolie. Grote kristallen wijnglazen op hoge poten. Nee, laat een tafel dekken maar aan mij over.

'Ik schenk nog maar es bij, want het is feest,' roept mijn vader.

Alsof hij ooit een aanleiding nodig heeft gehad om bij te schenken.

'Rood of wit?' vraagt mijn vader aan Rig.

'Rood.'

'Goed zo. Wit is voor mietjes. Een echte man drinkt rode wijn. En af en toe een borrel. Niet waar, Thérèse?'

Mijn moeder knikt vermoeid. Het lijkt alsof ze zit te dutten, haar hoofd een beetje scheef gezakt.

'Doe mij nog maar een beetje prosecco, een bodempje.'

'Een half glaasje?'

Het is haar derde halve glas sinds we aan tafel zitten.

'Krijg jij een lekker glaasje prosecco.'

Hij schenkt haar glas vol.

'Verder nog iemand?'

Niemand zegt nee. Wij houden allemaal onze glazen hoog, als kuikentjes die hun bekjes opensperren wanneer de ouder met voedsel komt. Mijn vader vult de glazen.

'Ik kan jullie niet vertellen hoe leuk ik het vind dat jullie er allemaal zijn. Potverdriedoosjes, wat vind ik dit leuk. Ik word vijfenzeventig, wie had kunnen denken dat ik vijfenzeventig zou worden?'

'Wij niet in elk geval,' zegt Boef.

Ik schop Boef onder de tafel tegen zijn scheen. Hij grinnikt.

'Wat valt er te lachen?' vraagt mijn vader.

'Niets, helemaal niets,' antwoord ik en ik neem een slok.

Er zit wat kersenlikeur door de prosecco. Lekker. Ik neem nog een slok.

'Wat moet dit voorstellen?' Hij knikt met zijn hoofd naar het bord dat voor hem staat. Ik heb zojuist het voorgerecht opgediend.

'Altijd die tierelantijnen. Wat is er mis met gewoon eerlijk recht voor zijn raap eten? Ik ben een man en een man wil écht eten. Een everzwijn bij Toutatis!' Hij slaat met zijn vlakke hand op de tafel en barst in lachen uit.

'Kookt ze die onzin ook voor jou?' vraagt mijn vader aan Rig.

'Ik vind het erg lekker wat ze maakt.'

'Ja, nu nog wel,' en hij begint weer hard te lachen. 'In het begin is alles lekker, maar dat gaat wel over.'

'Dit is het voorgerecht, pap, straks komt er lamsvlees,' zeg ik.

Gelukkig ben ik geen punaise. Gelukkig ben ik geen punaise. Het leven kan zo makkelijk zijn. Als je maar wilt. Je bent zelf verantwoordelijk voor je gedachten. Je gedachten kun je kiezen. Gelukkig ben ik geen punaise.

'Ah, kijk, dat klinkt al beter. Zonder vlees is het geen maaltijd. En leg es uit wat dit is. Voor ik het naar binnen werk, wil ik wel weten wat het is.'

Ik ga staan.
'Dames en heren, jongens en meisjes. Ter gelegenheid van de verjaardag van papa zal ik even uitleggen wat het menu is voor vanavond. Allereerst een voorgerecht van koningskrab met avocado, Granny Smith en een gegrilde coquille, en het geheel heb ik afgetopt met vanillemayonaise.'
'Wat zeg je me nou? Vanillemayonaise? Mayonaise met vanille?'
'Pap, doe nou maar rustig,' zegt Sonja sussend. 'Het is echt heel lekker.'
'Vanille hoort in een toetje, niet in mayonaise.'
'Probeer nou maar.'
'Waarom maak je niet gewoon iets wat ik lekker vind? Het is nota bene mijn verjaardag.'
Rustig. Hij bedoelt het niet kwaad. Rustig. Hij bedoelt het niet kwaad. Doosjes punaises. Gekleurde punaises. Koperen punaises.
'Dit vind je lekker, probeer het eerst es. Wat had ik dan moeten maken?'
'Steak.'
'Steak is een hoofdgerecht.'
'Dan sla je het voorgerecht over. Al die liflafjes, wat moet ik ermee?'
'Er zitten nog meer mensen aan tafel,' zegt mijn moeder, met wie ze voornamelijk zichzelf bedoelt.
'Wat jij, Anton? Zeg es wat, joh.'
Sonja port haar man in zijn zij.
'Ik zit te genieten,' zegt Anton met volle mond. 'Die vanillemayonaise vind ik wel lekker.'
Er hangt een stukje krab in zijn snor.
'Er zit een stukje krab in je snor,' zeg ik, terwijl ik naar mijn rechterbovenlip wijs.
Hij veegt het weg. Ik glimlach naar hem. Hij glimlacht dankbaar terug.
'Heb je ook iets gemaakt wat ik wél lekker vind?' moppert mijn vader.

'Pasta met truffel.'

'Nog iets wat je moeder zo heerlijk vindt en wat ik maar ben gaan eten om het je moeder naar de zin te maken.'

'Nou moet je ophouden,' zegt mijn moeder snibbig. 'Je vindt truffel heerlijk.'

'Ja, nu. Nu vind ik het lekker. Ik ben het gaan eten om jou een plezier te doen, omdat jij graag wilde dat ik het lekker vond, omdat jij het zo graag eet. Daarom ben ik het gaan eten. En nu, ja, nu vind ik het ook wel lekker.'

'Nou dan. Wat maakt het uit hoe je het lekker bent gaan vinden? Als je het maar lekker vindt.'

'Zei de zeeman tegen de hoer.'

'Joep!'

'Pap!'

'Geintje, jongens. Niet meteen op de kast springen.'

'*Kom van die kast af, 'k waarschuw niet meer*,' zingt Boef.

'Boef, hou je mond.' Sonja slaat haar broer op zijn arm. 'Ophouden nou.'

'En daarna? Wat krijgen we daarna?' vraagt mijn vader aan mij met grote, enthousiaste, maar ook rood doorlopen ogen en licht overslaande tong.

'Lamszadel met verse rozemarijn uit de tuin.'

'Lamszádel? Wat moet ik me daarbij voorstellen? Een stuk vlees dat je onder het zadel van je paard hebt gelegd om het mals te maken?' Hij schatert het uit. 'Dat deden de Hunnen, wisten jullie dat? Jazeker. Die legden een stuk rundvlees onder het zadel van hun paard en door de sappen en het zweet van het paard werd het mals. Ik zou zo graag es vlees willen eten wat op die manier is klaargemaakt. Dat lijkt me wel wat. Dat was nou een goed idee geweest, Duif, om een steak klaar te maken zoals de Hunnen het deden. Daar had je me nou blij mee gemaakt.'

'Om daarna een dorp plat te branden en de vrouwen te verkrachten,' mompelt Boef.

'Waren het niet de Tartaren die dat deden?' zegt Sonja.

'Wat zei jij?'

'Ik zei dat de Hunnen vooral berucht waren om het platbranden van dorpen en het verkrachten van vrouwen,' antwoordt Boef.

'Volgens mij waren het de Tartaren. Vandaar de naam steak tartaar. Toch?'

'Wisten jullie dat tot 1991 verkrachting binnen het huwelijk niet strafbaar was?' zeg ik. 'Een vrouw die geen zin had, was haar man ongehoorzaam en mocht met geweld gedwongen worden tot seks. Heb ik laatst in *de Volkskrant* gelezen. Ongelofelijk toch?'

'En dat werd strafbaar in 1990? Nooit geweten,' mompelt mijn moeder.

'Pap, proost,' zegt Sonja.

'Proost,' zeggen we allemaal in koor.

Als kind van vijf fantaseerde ik erover dat ik weg zou lopen van huis. Ik lette er voortdurend op hoe ik op straat zou kunnen leven en waar ik eten en drinken zou kunnen krijgen zonder ervoor te hoeven betalen. Ik wist precies waar er openbare kranen waren. En ik was altijd alert op eten dat voor het grijpen op straat lag. Een onbewaakte kraam. Een uitstalling voor een winkel. In de flat even verderop was een betonnen trap in de kelder, met een achterdeur die altijd openstond. Onder die betonnen trap zou ik kunnen slapen. Ik had er al een slaapzak naartoe gebracht. Gewoon om het gevoel te hebben dat er een uitweg was.

Dat er een plek voor me was waar ik heen kon gaan. Ik ben altijd op zoek naar de uitgang. In een restaurant wil ik altijd met mijn gezicht naar de deur zitten. Het is een tweede natuur geworden.

'Zullen we gaan eten?'

'Ja, laten we dat doen. Eet smakelijk allemaal.'

'Anton heeft het al op. Kijk nou, Anton heeft het al op.' Sonja ligt in een deuk.

'Ik had trek,' mompelt hij.

'Jij hebt altijd trek,' zegt ze.

'Wil je die van mij ook?'

Mijn vader houdt zijn bord voor zijn neus.

'Nee dank je, ik wacht op de volgende gang. Ik ben gek op truffel.'

Mijn moeder neemt een hap.

'Het is heerlijk, hoor. Echt heerlijk. Heel bijzonder.'

'Ja, lekker,' valt Sonja haar bij.

'Vind jij het ook lekker?' vraag ik aan Rig.

'Heerlijk schatje, ik heb nog nooit zoiets lekkers gegeten,' zegt hij en geeft me een zoen op mijn wang.

'Mijn man zegt altijd dat hij niet begrijpt dat alles maar uit de zee blijft komen, hè Joep. Dat zeg jij altijd, hè, dat je niet snapt dat de zee niet allang leeggevist is.'

'Nee, daar snap ik niets van,' zegt hij met een mond vol krab.

'Heel lang zal het niet meer duren, ben ik bang,' zegt Rig. 'Als er niets verandert tenminste. Koningskrab is eigenlijk heel verantwoord, die worden maar drie maanden per jaar gevangen.'

'Jij bent toch niet zo'n milieurakker? Zo'n dierenactivist? Draag je geitenwollen sokken? Even kijken.'

Mijn vader kijkt onder de tafel.

'Nee, hij heeft blote voeten in mocassins. Hij draagt leren mocassins, heel stijlvol. Je hebt een stijlvolle man uitgekozen, Duif. Wat doe je eigenlijk voor werk, Rick?'

'Ik ben verantwoordelijk voor het duurzaam functioneren van een bedrijf.'

Hij knijpt onder de tafel even in mijn dij.

'Ben ik even blij dat ik gepensioneerd ben.' Mijn vader buldert van het lachen.

Boef kijkt me aan, tuit even zijn lippen, knikt met zijn hoofd en doet zijn ogen even dicht.

Ik heb zin in chocolade. Veel chocolade. Zoveel chocolade dat ik van voren niet weet dat ik van achteren leef. Waarom heb ik dit gedaan? Waarom ben ik hier gekomen? Soms hoop je dat alles normaal zal zijn. Dan denk je dat wanneer je zelf normaal zult doen, de rest ook normaal zal doen, en dan realiseer je met een schok dat het allemaal nooit aan jou heeft gelegen, dat ze altijd allemaal zo naar en onaangenaam en passief-agressief waren en dat het niets uitmaakt of jij je goed of slecht voelt, dat ze zich blijven gedragen precies zoals zij willen. Het is aan mij, hoe ik erop reageer. Dat is wat het verschil maakt.

In en uit. Adem in en uit. Chocolade. Gelukkig ben ik geen punaise.

Houdt het dan nooit op? Nee, het houdt nooit op.

34

MELKMEISJE VOOR ONDER DE DOUCHE

Mijn vader dept met een servet zijn mond af.

'Hoe gaat het eigenlijk met de business? Loopt die toko van je een beetje?'

Met creativiteit je geld proberen te verdienen is voor losers volgens mijn vader. Kunst is voor losers, zelfs toegepaste kunst. Mijn vader is een krokettenhandelaar. Zo noem ik dat. Hij verkoopt niet echt kroketten, hij verkoopt wat er te verkopen valt. Mijn vader is een handelaar en wat hij verkoopt hoeft geen enkele waarde te hebben, als het maar geld opbrengt. Hoe minder waarde het product heeft des te beter, dan is de investering nihil en de opbrengst maximaal. Hij heeft ongetwijfeld de boel aan alle kanten opgelicht op een volstrekt geloofwaardige, politiek correcte, onethische, maar daarom niet minder legale manier. Hij heeft zo'n immens minderwaardigheidscomplex dat hij zich niet kan voorstellen dat zijn kinderen iets zouden kunnen, iets zouden kunnen voorstellen.

'Ja, best wel.'

'Best wel, je best doe je op school, best wel is niet goed genoeg. Weet je nou al wat je echt wilt?'

'Gelukkig zijn.'

Ik zeg het expres en met een satanisch genoegen.

'Wat een onzin. Thérèse, schenk mij nog es in.'

'Dat is geen onzin.'

'Geluk? Geluk? Wat is nou geluk? Vaag gelul.'

'Gelukkig zijn is het belangrijkste wat er is.'

'Dat is het niet. Hè getverdemme, wat een lullig gesprek, dit vind ik nou echt een lullig gesprek, Iris. Heeft het jullie ooit aan iets ontbroken?'

'Wat dacht je van een liefhebbende vader?' zegt Boef.

'Nou moet je potdomme ophouden. Ik heb mijn leven lang gewerkt om jullie alles te geven wat jullie wilden.'

'Het zoeken naar geluk is een hoogst serieuze bezigheid, dat wisten de oude Grieken al,' zegt Rig. 'Volgens hen vraagt de werkelijk wijze mens zich altijd af: "Hoe leef ik goed? Wat is het goede leven?"'

'Zullen we de cadeaus doen? We moeten de cadeaus nog doen,' roept Sonja en ze holt het huis in.

'Ik dacht al, waar blijven ze,' zegt mijn vader handenwrijvend.

Ik leg mijn hand op Rigs dij, hij legt zijn hand erop.

'Heerlijk gekookt, Duif, werkelijk fantastisch. Dat lamsvlees was heerlijk.'

Sonja loopt het terras weer op met haar armen vol cadeaus.

Het schilderij heeft ze niet meegenomen.

'Zal ik de taart even halen? Zal ik er wat Vin Santo bij doen? Of wil er iemand wodka?'

'Doe maar allebei, mam,' zegt Boef.

Sonja legt de pakjes op tafel.

'Dit is van ons, voor jou. Van Anton en mij en dit is van de kinderen.'

'Waar zijn die rakkers eigenlijk?' Mijn vader kijkt in het rond zoals Obelix altijd doet; heel snel draait hij zijn hoofd van links naar rechts alsof ze er net nog waren en nu opeens weg zijn en hij de verwarring in zijn hoofd niet bij kan houden.

'Die zitten beneden met een bord spaghetti,' zeg ik. 'Ik heb voor de kinderen spaghetti bolognese gemaakt.'

'O, nou, een lekker bord spaghetti, daar had ik geen nee tegen gezegd.'

'Ik zal ze wel even halen.'

'Is er toevallig nog wat over van die spaghetti?' vraagt mijn vader aan me.

'Nee, ben je gek, blijf zitten, laat die kinderen lekker beneden, die vinden zo'n dvd'tje toch veel leuker,' zegt mijn moeder.

Haar linkeroog hangt een beetje. Mijn vader pakt het presentje dat van de kinderen afkomstig is als eerste uit. Er zit een scheerkwast in.

'Ach, wat leuk. Die had ik net nodig. Ja, die had ik echt nodig. Hoe weten die kleine rakkers dat ik een nieuwe scheerkwast nodig heb?'

Nou, gewoon, mama Sonja die een sms'je stuurt naar oma. Dat is niet zo ingewikkeld.

Hij strijkt met zijn vingers over de toef stevige haren.

'En met echt dassenhaar nog wel. Geweldig. De avond kan nu al niet meer stuk.'

'Rara, hoeveel dassen zitten er in een scheerkwast?' zegt Boef.

Sonja glundert. Alles wat haar kinderen goed doen straalt meteen op haar af. Het zou een reden kunnen zijn om kinderen te nemen.

'Ik ben benieuwd wat er in het volgende pakje zit.'

'Iets voor onder de douche,' mompelt Boef.

'Wat zeg jij nou weer?'

'Je vraagt altijd hetzelfde voor je verjaardag. Iets voor onder de douche. Toch? Mam? Vraagt hij altijd hetzelfde of niet?'

'Ja, jongen.'

'Nou dan.'

'Maak nou open,' zegt Sonja.

Hij voelt aan het pakje dat in goudkleurig papier is verpakt met een grote strik erop. Hij scheurt het papier kapot. Er komt een grote fles familieverpakking Melkmeisje voor onder de douche tevoorschijn.

'Drie keer raden wat er in dat andere pakje zit,' zegt Boef.

'Is dit van jou?' vraagt mijn vader en hij kijkt mijn moeder aan.

'Dat vind je toch lekker? Verder heb je alles al. Ik kan niks meer bedenken om je blij mee te maken.'

'*Zooo in mijn sas met Badedas,*' zingt Boef.

'Ja, inderdaad. Dit vind ik lekker. Eindelijk iets wat ik lekker vind. Dankjewel,' hij geeft haar een kus op haar wang.

'Graag gedaan, hoor. En nogmaals gefeliciteerd, hè.'

Ze geeft hem een klapzoen op zijn wang. Met twee handen knijpt ze in allebei zijn wangen.

'Met je couperosewangetjes.'

'Thérèse, niet doen.'

'Maham, niet doen.'

'Maak dat andere pakje nou open.'

Hij maakt het pakje open. Er komt een familieverpakking Melkmeisje bodylotion tevoorschijn.

Zijn gezicht betrekt.

'Dat vind je toch lekker? Je zegt altijd dat je dat zo lekker vindt.'

'Ja, ik vind het ook lekker, het ruikt lekker, niet zo opdringerig,' zegt mijn vader enigszins beteuterd.

'Misschien moet je het cadeau voor je vader even pakken,' zegt Rig.

'Heeft Iris al verteld dat ze gaan trouwen, pap?'

Sonja ziet doel en schiet.

Mijn vader zit nog steeds verbouwereerd naar de flessen Melkmeisje te kijken. Maar het woord 'trouwen' doet hem ontwaken.

'Trouwen? Wie gaan trouwen?'

'Iris en haar nieuwe vriend gaan trouwen.'

'Wat zeg je me nou?' zegt mijn vader. 'Gaan jullie trouwen?'

'Ik dacht dat jij het geheim wilde houden,' fluistert Rig in mijn oor.

'Sorry. *Slip of the tongue*,' fluister ik terug.

'Ja, pap, we gaan trouwen. Rig heeft me gisteren ten huwelijk gevraagd.'

Ik houd mijn hand met de ring omhoog.

'Waarom?'

'Dat is nou precies wat ik ook zei.'

Ik begin te lachen. Om de moed erin te houden begin ik te lachen. Overal de humor van inzien, dat is het devies. Dat is waarom hij bij me is, dus dat lijkt me het beste. Veel lachen. Ik schenk mezelf nog maar es in.

'En terecht. Hoeveel scheel jij met haar?' vraagt mijn vader aan Rig.

'Zestien jaar.'

'Zestien jaar verschil? En je wilt gaan trouwen? Je bent gek.'

Mijn moeder komt terug met een groot dienblad waarop de taart, een stapeltje bordjes en een fles Vin Santo staan.

'Ik heb ook zelfgemaakte doopkoekjes voor de liefhebber. Boef, wil jij de wodka binnen even halen? Er staat een fles op het aanrecht samen met een fles limejuice. Wat een heerlijke avond, hè jongens. Het is een doorslaand succes, vinden jullie ook niet?'

'Wodka hier, wodka daar, ja, je ziet ze veel dit jaar,' zingt Boef en hij verdwijnt in het huis.

'Wist jij dat ze gaan trouwen?'

'Ja, dat heeft ze me vanmiddag verteld.'

'En wordt mij niks meer gevraagd?'

'Iris is nu wel oud en wijs genoeg om haar eigen beslissingen te nemen, is het niet?'

Ze verdeelt de bordjes over de tafel en zet overal een glaasje bij. Af en toe moet ze zich vasthouden aan de tafel om haar evenwicht te bewaren.

'Trouwen jullie op huwelijkse voorwaarden? Kan jij wel voor haar zorgen?'

'Ik kan prima voor mezelf zorgen, pap.'

'Daar hebben we het nog niet over gehad. Ik ben niet op uw geld uit als u dat soms denkt.'

'Hij zegt ineens u, hoor je dat?'

'We zijn gewoon blij met elkaar. Meer niet. Het is niet zo'n big deal,' zeg ik in de hoop dat we van onderwerp kunnen veranderen. En dan zo opgewekt mogelijk: 'Zullen we het ergens anders over hebben?'

Niet laten zien dat het je raakt, dan worden ze nog erger. 'Waarom gaan we het niet ergens anders over hebben? Dat lijkt me een veel beter plan.'

'Is het gezellig?' vraag ik Rig in zijn oor, 'is het gezellig?'

'Het is heel gezellig, schat,' fluistert hij terug. 'Maar ik geloof niet dat het veel gezelliger moet worden.'

Hij schenkt een glas water voor me in.

O, oké. Ik begrijp een hint als ik hem krijg.

'Wanneer gaan jullie trouwen? Toch niet wanneer wij in Italië zijn?'

'Eerlijk gezegd lijkt me dat het uitgelezen moment om te trouwen, mam.'

Ik begin hard te lachen. Het is een familiekwaal.

'Doe jij es niet zo onaardig.'

Mijn moeder schenkt de Vin Santo in en zet een glaasje voor mijn neus.

'Hier, lekker een stuk taart erbij. Jij ook taart?' vraagt ze aan Rig. 'Ik denk het wel hè, je kijkt ernaar als een pyromaan naar een hooiberg.'

Ik neem een hap taart en een slokje Vin Santo. Het is van de schoonheid en de troost.

'Lekker?' vraagt mijn moeder.

'Verrukkelijk.'

'Ja, is hij goed gelukt?' vraagt Sonja. 'Pap, dit vind je ook lekker hoor, Iris heeft een heerlijke taart gebakken. Iris, je moet me wel ruim van tevoren laten weten wanneer je gaat trouwen, want ik ben dol op bruiloften en partijen, dat weet je. Heb ik meteen een aanleiding om weer es iets nieuws te kopen. Weet je al wat je aantrekt?'

'Nee, geen idee.' Het lijkt me beter om de mededeling dat er in het buitenland zal worden getrouwd en dat de aanwezigheid van de familie niet is gewenst nog wat uit te stellen. Om nog maar te zwijgen van mijn voornemen om in het rood te trouwen.

'Boef? Jij ook een dessertwijntje of liever wodka?' Mijn moeder houdt de Vin Santo omhoog. Boef heeft de wodka naast zich neergezet en zijn glas halfvol geschonken. Hij schudt zijn glas zodat de ijsblokjes tinkelen. Hij grinnikt terwijl hij in het glas kijkt.

'Son?'

'Nee, dank je mam.'

'Joep?'

'Nee, ik neem zo een whisky. Maar een stuk taart wil ik wel. Trouwen. Ik vind het een bespottelijk idee. Wie trouwt er tegenwoordig nog? *Why buy the cow when you can get the milk for free*?' Hij buldert van het lachen.

Hij buigt voorover en legt zijn hand op mijn hand.

'Geintje, Duifje, geintje. Je kunt tegen een geintje, ik weet dat je tegen een geintje kunt.'

Ik lach dapper mee.

'Ik kan tegen een geintje, pap. Als ik na al die jaren nog niet tegen een geintje kon dan stond ik er wel erg slecht voor, hè?'

Ik trek mijn hand onder die van mijn vader weg en leg hem op mijn beurt op zijn hand, kijk hem aan en zeg lachend: '*Why buy the pig when you only need a sausage*?'

'Wat zitten jullie schattig hand in hand. Dat heb ik nog nooit gezien,' zegt mijn moeder en ze gaat weer zitten.

'Hoe lang zijn wij nou getrouwd, Joep? Toch zo'n vijftig jaar?'

Ze richt zich tot mij.

'Weet je wat het is om vijftig jaar getrouwd te zijn? Nee, dat weet jij niet. Natuurlijk weet jij dat niet. Het is hard werken, hoor, schatje. Weet waar je aan begint. Hoe lang heb je nog voor de boeg? Hebben jullie het daar al over gehad? Over wie er als eerste doodgaat? Want dat is waarschijnlijk Iris, hoor.'

'Mam.'

'Nee, luister nou even, dit moet ik zeggen, dat is belangrijk om te weten. Wie gaat er als eerste dood? Daar moet je het echt over hebben en alles regelen met testamenten en zo. Het is misschien een moeilijk onderwerp, maar het is echt belangrijk, zeker in jullie geval. Iris is toch zestien jaar ouder dan jij, dus de kans dat ze eerder overlijdt, is aanwezig. Nu is het natuurlijk wel zo dat mannen over het algemeen eerder doodgaan dan vrouwen, en gemiddeld zo'n vijftien jaar, dus in het gunstigste geval gaan jullie tegelijk dood, maar kijk naar je vader, die is er nog steeds. Het zal me niets verbazen als ik eerder doodga dan hij.'

Dan doet ze toch iets in zijn eten. Een giftige dadel of zo. Misschien kan ze er meteen eentje door haar eigen maaltijd prakken.

35

POEKIE

'Moet jij je cadeau niet geven, schat,' zegt Rig.

Natuurlijk. Helemaal vergeten.

Ik spring op. Dat is een goed idee. Ander onderwerp. Jodelahietie.

'Wacht, ik heb ook nog iets voor je verjaardag,' roep ik en ik ren het huis in.

Door de open deuren vang ik flarden van het gesprek op. Ik houd stil en spits mijn oren.

Ik hoor 'tannine', en 'industriële wijn'.

Ik hoor: 'Ik zou voor een lekker jong ding gaan als ik jou was.'

Ik hoor de woorden 'Ik hou van Iris'.

Ik hoor: 'Tuurlijk. Het is een topmeid. En op een oude fiets moet je het leren natuurlijk, maar trouwen?'

Ik pak het schilderij en moet even de neiging onderdrukken om er met mijn rechtervoet een gat in te trappen om dan te zeggen: 'Nee, het is niet kapot; dit is nou kunst, papa. Hiermee heeft de kunstenaar iets over de wereld waarin wij leven willen vertellen. De kunstenaar heeft er het gat in zijn ziel mee willen uitdrukken dat er door zijn vader in is geslagen.'

Vat het niet persoonlijk op. Het is zijn probleem. Het zit in hem. De narigheid. Het is als een warmtezoekende raket, het zoekt een doel om kapot te maken en vindt mij. Het heeft niets met mij te maken. Adem in. En adem vooral ook weer uit.

Ik loop terug het terras op.

'Dit heb ik zelf gemaakt.' Ik zeg het tot mijn verbazing met enige trots.

Hij pakt het met twee handen aan en weegt het even.

'Zelf gemaakt? Had je geen geld om iets te kopen?' Hij begint weer te schaterlachen. 'Geintje. Ik kon het niet laten. Het was een schot voor open doel, zeg zelf.'

'De verpakking hoort ook bij het cadeau.'

Ik heb een foto gemaakt van mijn muur met de 'wat maakt het leven de moeite waard'-tekst en de foto op het pakpapier laten drukken. En omdat het een cadeau voor mijn vader is heb ik er een afbeelding van een fles whisky bij geplakt. Hij houdt het ingepakte schilderij schuin voor zich en leest de tekst voor.

'Het geluid van de wind die door de bomen waait.' Hij begint hard te lachen. 'Nou, daar hebben we in elk geval altijd genoeg van in Nederland. Een glas Tignanello? Fabelachtige wijn. Kijk dat begrijp ik. Famous Grouse. Ha, dat is een goeie. Die is raak. Giraffen? Als ik erop kan jagen, zeker. Dat is nog een grote wens van mij, jongens. Onthouden voor mijn zesenzeventigste verjaardag; een safari waarbij ik op de Big Five kan jagen. Machtig lijkt me dat.'

Ja, want in Afrika moet de wildstand ook kunstmatig op peil gehouden worden, dat is zo, vandaar dat daar grootschalig wild wordt gefokt waar tegen betaling op geschoten mag worden. Desnoods door sukkels die niet kunnen schieten. Allemaal om de wildstand op peil te houden.

'Je hebt nog niet al je cadeautjes gekregen hoor, pap,' zegt Sonja. 'Er ligt nog iets op je te wachten.'

'O ja?' zegt mijn vader en zijn ogen beginnen te stralen. 'Dan heb ik dus nog iets om me op te verheugen. Het kan niet op vanavond. Maar eerst het cadeau van Iris uitpakken.'

Hij voelt nog es aan het pak. 'Is het een schilderij? Volgens mij is het een schilderij.'

'Ja, het is een schilderij, pap, maak het nou maar open.'

Ik ga weer op mijn stoel zitten. Ik leg mijn hand op Rigs been en knijp er zachtjes in.

'Sinds wanneer schilder jij? Of is het een schilderij van Robbert dat je hebt ingelijst? Ach, dat is nou tof, daar maak je mij nou blij mee. Een schilderij van Robbert.'

Robbert schilderde niet onverdienstelijk in zijn vrije tijd.

Hij scheurt het bruine pakpapier van het schilderij en houdt het voor zich.

Zijn mond zakt een beetje open.

'Hé, nee, dit is niet van Robbert.'

'Nee, pap. Dit heb ik zelf gemaakt. Dat zeg ik toch. Robbert en ik zijn uit elkaar.'

Ik knijp weer in het been van Rig. Iets harder deze keer.

'Alsof ik dat niet weet,' bijt mijn vader me toe. Zijn ogen schieten vuur. Altijd onberekenbaar. Altijd oppassen met wat je zegt. Jantje lacht, Jantje huilt. Precies Robbert. Ik ben destijds met mijn vader getrouwd. Ik zweer het je. Nu nog van mijn vader scheiden. Robbert en hij konden drinken en lang bij de open haard ouwehoeren. Robbert was een kameleon die zich probleemloos aan elk gezelschap aanpaste, ook aan dat van mijn vader. Het zorgde er wel voor dat ik mijn eigen man niet leuk meer vond, omdat hij net zo begon te praten en te drinken als mijn vader deed. In de woonkamer hangen verschillende schilderijen die hij gemaakt heeft. Op een van de schilderijen staat Poekie de poes die, toen ik klein was, is verdronken in de sloot achter ons huis in Nederland.

Boef schreeuwt dat ik moet komen.
Haar natte, koude, slappe lijfje.
Haar bek open, haar tong stukgebeten.
Haar ogen puilen uit.

Het is een natuurgetrouwe weergave. Hij heeft eerst een foto op doek geprojecteerd en het daarna geschilderd. Robbert heeft het speciaal voor mij gemaakt, het origineel hangt bij mij in de woonkamer, maar mijn moeder vond hem zo mooi dat zij een reproductie heeft laten maken. Vooral de uitdrukking van Poekie op het schilderij is treffend. Haar kop een beetje scheef, verbaasd over het feit dat iemand een foto van haar neemt. Ze had een zwarte vacht met een wit vlekje bij haar neus. De oren gespitst, haar ogen groot en rond die je recht aankijken. Poekie was van ons allemaal, in het bijzonder van mijn moeder, maar vooral van mij. Nee, dat moet ik anders zeggen; ik denk dat ze het meest van mij hield. Als ik thuiskwam en haar naam riep, rende ze naar me toe om met een sprong in mijn armen te duiken. Dan kroop ze onder mijn haar in mijn nek en bleef daar liggen terwijl ik door het huis liep. Als ik de trap af liep moest ik me aan de trapleuning vasthouden omdat ze me onophoudelijk voor de voeten liep in haar enthousiasme om me voortdurend kopjes te geven. Elke nacht krulde ze zich op mijn kussen om mijn hoofd. Het was alsof ik met een bontmuts op in bed lag. Nadat ze dood was werd ik maandenlang elke nacht wakker met het idee dat ze op bed lag. Ik voelde haar warmte en haar gewicht. In het donker hoorde ik haar van het bed springen. Fantoompijn. Het is nooit helemaal opgehelderd hoe ze in de plomp terecht is gekomen. Een buurman had haar in het water gegooid omdat ze bij hem in de tuin liep, vertelde mijn vader. Ze is in de tuin van het ouderlijk huis begraven, onder de treurwilg die aan de kant van de sloot stond.

'Wat stelt het voor?' vraagt mijn vader terwijl hij het schilderij bestudeert.

'Dat zijn wij. Dit is ons gezin.'

'Dit zijn wij?' Hij knijpt even met zijn ogen. 'Dit zijn wij, maar dan lang geleden zeker? Ben ik zo veranderd in de loop der jaren?' Hij lacht weer het hartelijkst om zichzelf.

'Ik heb het van een foto geschilderd. Ken je die foto niet? Het is de enige foto waar we met zijn allen op staan.'

'Geen idee. Het is heel mooi, Iris. Heel mooi. En het lijkt ook wel. Een beetje.'

Hij houdt het schilderij zo ver mogelijk van zich af.

'Wacht, ik zet het even een eindje weg, dan kunnen we er allemaal naar kijken.'

Hij staat op en loopt met het schilderij naar de andere kant van het terras en zet het op een muurtje. Hij doet een paar stappen naar achteren en kijkt ernaar.

Boef lacht, ik huil en Sonja kijkt boos. Mijn ouders lachen allebei. Ze lachen zonder blij te zijn. Mijn moeder kijkt vlak langs de lens naar iets anders. Ze lachen omdat er een camera op ze gericht staat. Wie heeft die foto gemaakt? Wanneer is die foto gemaakt? Vlak voordat Poekie is verdronken? Of vlak erna? Zoiets staat me bij. Hoe oud was ik toen ze doodging? Acht? Negen?

'Ken je die foto niet? Mam, jij ook niet? We staan er met z'n allen op. Weet jij welke foto ik bedoel?'

'Ja, natuurlijk weet ik welke foto je bedoelt. Hij staat hier in de woonkamer op een bijzettafeltje. Ik heb hem laten uitvergroten. Het is een enige foto. Jullie zijn nog zo schattig klein daar. Die foto die jullie tien jaar geleden hebben laten maken is net een staatsieportret. Maar deze foto, dat is een lieve foto.'

'Noem het maar een lieve foto, volgens mij zie ik drie doodongelukkige kinderen,' flap ik eruit.

'Dat komt omdat jij alleen maar het slechte kunt zien en denken.'

'Het was niet leuk toen die foto werd genomen.'

'Waarom maak je er dan een schilderij van?'

'Misschien omdat ik het verleden wilde veranderen. Ik heb ons allemaal een andere gezichtsuitdrukking gegeven.'

'Vandaar dat ik mezelf niet herken,' zegt mijn vader.

'Onzin. Het was altijd leuk,' zegt mijn moeder en ze neemt een hap taart alsof haar leven ervan afhangt.

'Is dat zo?'

'Jazeker,' zegt ze met volle mond die ze aan het zicht probeert te onttrekken door haar hand voor haar mond te houden.

'Weet jij wie die foto heeft genomen?'

Haar gezicht licht op.

'Wat grappig dat je dat vraagt,' antwoordt mijn moeder die opeens wonderlijk helder is. 'Ik weet precies wanneer die foto is gemaakt. Of nee, wanneer precies weet ik niet meer, dat is wat mistig, ik weet het ongeveer. Maar wie hem heeft gemaakt dat weet ik nog wel. Huibert. Huibert heeft die foto gemaakt.'

Mijn vader verslikt zich.

'En die foto heb jij uitvergroot in de woonkamer staan?' zegt hij.

'Ja, en het grappige is dat je dat nog nooit is opgevallen. Net als dat het je nooit is opgevallen dat we je slakken hebben laten eten door te zeggen dat het champignons waren.'

'Hoe bedoel je, slakken en champignons?'

'Niks aan de hand. Dus waarom zou je je er nu druk om maken? En het portret van Poekie blijft ook hangen. En die foto blijft staan.'

'En van die foto is nu ook een schilderij gemaakt?'

'Wie is Huibert?' vraagt Sonja.

'Huibert is de buurman die drie huizen verderop woonde,' zegt Boef.

'Heette die Huibert? Heette meneer Verweij Huibert van zijn voornaam?'

'Ja, Sonja, meneer Verweij is Huibert en die heeft – volgens papa – Poekie in de sloot gegooid.'

'Hè Boef, moet dat nou?' zegt Sonja. 'Laten we het gezellig houden. Geen oude koeien uit de sloot, alsjeblieft.'

'Nee, oude katten uit de sloot is een beter idee.' Hij grijnst.

'Huibert Verweij was een heel charmante man,' zegt mijn moeder.

'Onze kat is verdronken toen ik klein was, dat vonden we toen nogal erg,' verduidelijk ik aan Rig.

'Verdronken? Maar katten kunnen toch heel goed zwemmen?' zegt hij en hij kijkt me verbaasd aan dat ik, die zoveel van dieren houd, dat niet weet. Ik weet het echt niet. Ik heb de wereld heel lang met kinderogen bekeken, realiseer ik me nu. Al die jaren heb ik blindelings het verhaal van mijn vader geloofd en mijn ogen stijf gesloten gehouden voor een andere werkelijkheid. En het verhaal was dat Poekie is verdronken omdat hij door de boze buurman in de plomp is gegooid.

'Poekie was een heel stomme kat. Poekie kon niet zwemmen,' bromt mijn vader.

'Nee, als je hem een steen om zijn nek bindt kan hij niet zwemmen, nee.' Boef houdt zijn glas proostend omhoog en kijkt mijn vader aan terwijl hij zijn linkeroog dichtknijpt.

Ik kijk van Boef naar mijn vader en terug.

'Wat bedoelen jullie?' Ik begin zenuwachtig te lachen.

Op mijn negende ben ik spontaan gaan bidden.

Zomaar uit het niets. Gewoon voor de zekerheid. Voor je kan niet weten.

Elke avond voor ik naar bed ging knielde ik voor mijn bed.

Lieve God. Maak Poekie weer levend en mijn vader dood.

36

HET MOOISTE CADEAU VAN JE LEVEN

Opeens begint mijn moeder te gieren van het lachen en slaat mijn vader joviaal op de schouder.

'Hebben wij je even tuk.'

Ze pakt de fles Melkmeisje en gooit hem met een grote boog in de rozenstruiken.

'Natuurlijk is dat niet je cadeau. Dit is je echte cadeau.'

Ze houdt twee enveloppen op. Een rode en een groene.

'Het is het mooiste cadeau van je leven. En je mag kiezen,' zegt ze.

'Kiezen?'

'Ja. De rode of de groene. Je mag kiezen welke je wilt hebben.'

Mijn vader aarzelt even, in verwarring gebracht door het plotse enthousiasme van mijn moeder. Zijn gezicht begint te glimmen.

'Dan... kies... ik... de... rode.'

'Dat dacht ik al,' en ze begint gretig de envelop open te maken.

'Hè mam, laat hem dat nou zelf doen,' zegt Sonja. 'Dit is van ons allemaal,' zegt ze tegen mijn vader.

Allemaal? Van ons allemaal? Ik weet van niets. Ik kijk Boef aan. Ik wijs op mezelf, schud mijn hoofd, ik wijs met een vragend gezicht naar hem, hij schudt ook zijn hoofd.

Mijn vader maakt de envelop open en haalt er een kaartje uit. Op de voorkant staat de afbeelding van een cruiseschip. Hij leest voor:

Vijf dagen een reisje langs de Rijn Rijn Rijn.
Samen in de maneschijn schijn schijn
Met een lekker potje bier bier bier
Aan de zwier zwier zwier
Op de rivier vier vier

'Daar heb je het nou al jaren over. Dat je dat zo graag wilt. Dus nu moest het er maar es van komen.'

Een reisje langs de Rijn? De hel op aarde. Mijn moeder heeft mijn vader de hel op aarde gegeven voor zijn vijfenzeventigste verjaardag. Een reisje met van die tussenstops en dan mag je van de boot, even lekker het stadje in om dingetjes te kopen, met van die mensen die meteen aan wal weer gaan zitten, op een terrasje en dan gaan klagen over de bediening en de kaart die ze niet snappen en dan nemen ze nog een moezelwijntje om de smart te verzachten. Zo'n reisje.

'Ik wist van niks hoor, pap,' zeg ik laf.

'Asjemenou. Hier ben ik nou blij mee. De Rijn is een prachtige rivier. De Rijn gaat over in de Donau, en dat is een majestueuze rivier. Er wordt altijd lacherig over de Rijn gedaan, maar het is prachtig. Het is een prachtige tocht. Als je het weer een beetje mee hebt tenminste.'

'Het is een vijfsterrencruise, hoor,' zegt mijn moeder. 'Als hij dit nou al jaren wil, dan is het toch leuk? En Parijs, daar zijn we al zo vaak geweest, hè Joep? Daar zijn we echt al heel vaak geweest. Ik kon eigenlijk niks bedenken waar we nog niet geweest zijn. Behalve plekken waar we niet naartoe willen, en die zijn er ook volop. Boedapest schijnt geweldig te zijn, maar ik hoef er niet naartoe. Zo gek. Geen enkele behoefte aan. Rusland, ook zoiets, ik taal er niet naar. Jij ook niet, hè Joepje?'

Mijn vader schudt zijn hoofd en kijkt nog es naar het kaartje in zijn hand.

'Weet je al met wie je zou willen gaan?'

Hij kijkt mijn moeder niet-begrijpend aan.

'Je denkt toch niet dat ik meega?'

Ze begint weer te gieren van de lach.

'Ik ga deze doen.'

Ze houdt de groene envelop boven haar hoofd en kijkt hem triomfantelijk aan.

'Mam?' zegt Sonja. 'Wat doe je nou?'

Ik knijp even in Rigs hand.

Ze maakt de groene envelop open en leest voor:

Hoera,
Je hebt de goede keus gemaakt.
Je hebt gekozen voor een luxe Nijl-cruise van zeven dagen.
Caïro, Luxor, Koningenvallei;
Blij zullen we zijn allebei.

'Als jij die Rijn-reis maakt, gaan wij lekker naar Egypte. Caïro, daar gaan we de grote piramides bekijken en de Sfinx van Gizeh natuurlijk, zo ongelofelijk intrigerend vind ik dat. Het lichaam van een leeuw en het hoofd van een man. En die afmetingen; 73 meter hoog, het is onvoorstelbaar dat ze zoiets in die tijd hebben kunnen maken. Je zou bijna denken dat er iets bovennatuurlijks is gebeurd. Geweldig. Daar wil ik toch al zo lang naartoe. Egypte. En ik zit eraan te denken om ook mijn duikdiploma te gaan halen.'

Net als Leni Riefenstahl, die heeft ook nog op hoge leeftijd haar duikbrevet gehaald.

'Ik begrijp het geloof ik niet helemaal,' mompelt mijn vader.

'We bezoeken de Koningenvallei waar al die farao's begraven liggen, we doen Luxor aan, dat schijnt ook zo prachtig te zijn en de Nijl vindt zijn oorsprong in Afrika en daar heb je heel grote zwarte negers. Daar weet Iris alles van geloof ik.'

Ik bloos tot achter mijn oren. Ik glimlach verontschuldigend naar Rig en maak een wegwuifgebaar ten teken dat mijn moeder onzin uitkraamt.

'We?' zegt Sonja. 'Wie is "we"?'

'Wat is dit?' zegt mijn vader terwijl hij van de ene envelop naar de andere kijkt.

'Ik heb precies gedaan wat jij wou. Jij had het altijd over een Rijn-reis en Egypte vind je te heet. Dat zeg je altijd. Als je één berg hebt gezien, heb je ze allemaal gezien, dat zeg je ook altijd. Je houdt niet van hitte. En Egypte is ver weg en je houdt niet van verre bestemmingen, je wilt niet lang in een vliegtuig zitten. Nou ja, behalve als je een leeuw kunt schieten; dan heb je het er misschien voor over. Maar om een uit steen gehouwen leeuw helemaal in Egypte te gaan bekijken, daar heb je geen zin in. Dat zeg je altijd. Egypte is ver en heel heet hoor, het kan meer dan 40 graden worden in die woestijn, maak je borst maar nat. En dat kun je dus héél goed tijdens zo'n reisje op de Rijn, je borst natmaken.'

Ze schiet in de lach en kijkt blij in het rond. Het is alsof ze ons allemaal een cadeautje heeft gegeven, zo blij is ze.

'Daarom leek het mij dus het beste om jou een cadeau te geven en je daarbij je ook nog eens cadeau te doen dat je alleen mag gaan. Of met een partner naar keuze. Is dat even fijn? Is dat niet het mooiste cadeau van je leven? Ik ga niet mee, want ik ga een Nijl-cruise maken. Fantastisch toch? Dubbel cadeau! Heb je van mij geen last. Wie wil er met papa mee op cruise, jongens? Niet allemaal. Misschien wil Nina wel mee.'

'Nina? Wie is Nina?' zegt Sonja.

'Ik ben wel klaar met die wijn, ik ga es even kijken of er nog een fles wodka is.'

Mijn moeder staat op en loopt het huis binnen.

'Ik vroeg wie Nina is. Is er nog iemand die naar mij luistert, of hoe zit het?' roept Sonja met een rood aangelopen gezicht.

'Nina is de minnares van papa, die hij al zo'n kleine vijfendertig jaar heeft,' zegt Boef. 'En doe mij ook nog maar een wodkatje, mam,' roept hij achter haar aan.

'Een minnares? Papa, heb jij een minnares? Hoezo heeft papa een minnares?'

Mijn vader reageert niet. Hij zit voor zich uit te kijken. Sonja keert zich weer naar Boef.

'Waarom weet jij dat wel en ik niet?'

'Omdat ik oplet en jij niet, schattebout. Er is wel meer wat jou ontgaat. Jij hebt het altijd zo druk gehad met in de smaak vallen bij papa, dan heb je geen tijd om op te letten.'

'Wat bedoel je daarmee?'

'Daar bedoel ik helemaal niks mee. Ik bedoel wat ik zeg.'

'Ik let wel op. Jullie houden me altijd overal buiten. En dat hebben jullie altijd gedaan. Jullie sluiten me altijd buiten. En vanavond doen jullie het weer.'

'Hoe kom je daar nou bij?' zeg ik.

'Ik zie het toch. Ik zie heus wel hoe jullie elkaar signaaltjes zitten te geven. En dat is helemaal niet leuk.'

Ik hoor de tranen in haar stem.

'Doe niet zo raar,' zegt Boef smalend. 'Wij sluiten je helemaal niet buiten. Je kunt gewoon niet meekomen, dat is het.'

Hij begint te lachen.

'Geintje Son, ik maak een geintje. Ik hoop niet dat ik je heb buitengesloten door een geintje te maken.'

Ze smijt haar servet op tafel.

'Ik doe altijd zo mijn best. Ik doe altijd mijn best om het gezellig te maken, ik zorg ervoor dat we hier allemaal zijn en nooit zijn jullie es dankbaar of blij. Jullie zien nooit wat ik allemaal doe. Dat was vroeger al zo en het is nog zo. Ik doe het allemaal voor jullie in de hoop dat het es leuk wordt, dat we eindelijk es een leuk gezin worden. Hebben jullie enig idee hoe graag ik dat wil?'

Ze barst in snikken uit.

'Sonja, niet huilen, dat is toch nergens voor nodig.' Boef loopt naar haar toe en slaat troostend een arm om haar heen.

'Ik denk dat ik het nooit heb verteld omdat je zo dol was op papa. Om voor mij volstrekt onduidelijke redenen, maar toch.'

Ze snikt in haar servet. Rig kijkt me aan en ik zie een lichte paniek in zijn ogen. Ik sluit mijn ogen geruststellend ten teken dat alles goed komt. Niks aan de hand. Niet te zwaar aan tillen. Dit hoort erbij.

'En ja, maar ja, je maakt ons ook niet echt blij door ons hier allemaal te verzamelen. Dan moet je ook iets doen wat we leuk vinden. Heb je geen jaarboek gemaakt? Je maakt toch elk jaar een jaarboek?'

Sonja maakt altijd een jaarboek dat ze op mijn vaders of moeders verjaardag overhandigt. Met dit boek, prachtig gedecoreerd, wil ze een overzicht geven van de belangrijkste momenten uit het afgelopen jaar. Het is voornamelijk gevuld met foto's van haar gezin en hier en daar een foto van mijn ouders met hun kleinkinderen. Het is elke keer opvallend dat bij de belangrijkste momenten van het jaar Boef en ik vrijwel nooit aanwezig zijn.

'Zit ik toch al de hele avond te wachten op jouw ongelofelijk interessante jaarboek. Daarvoor ben ik eigenlijk gekomen, speciaal voor jouw prachtige jaarboek.'

'Boef, hou op,' zeg ik.

'Ik meen het,' zegt hij met grote ogen waar ik de spot in zie glanzen. Hij wiegt Sonja nog steeds heen en weer.

'Daar ben ik mee gestopt, dat is veel te veel werk. Ik begin er niet meer aan. Er is nooit iemand die mij helpt.'

'Kijk je mij aan?' zeg ik. Ik voel me zelfs aangesproken wanneer ik niet aangesproken word.

'Maar hoezo heeft papa een minnares, en waarom weet ik dat niet? Waarom hebben jullie mij dat nooit verteld?'

'Wist je het echt niet?' vraagt Boef. 'Waar dacht je dan dat hij altijd was? Hij was nooit thuis.'

'Aan het werk, ik heb altijd gedacht dat hij aan het werk was. Dat zei hij altijd.'

Ze droogt haar tranen met haar servet.

'Papa, zeg es wat.'

Mijn vader zwijgt in alle toonaarden en kijkt voor zich uit.

'Ken jij Nina?' vraagt Sonja me. 'Wist jij ervan?'

'Ja, ik wist het.'

Als Boef het weet, dan weet ik het ook. Ik heb Nina weleens gezien. Er stond een auto voor de deur en een struise blonde dame zat op de passagiersstoel naast mijn vader. Ze droeg een bontjas en maakte enorme indruk op me. Instinctief wist ik meteen dat het niet zijn secretaresse was, ook al moest ze daarvoor doorgaan. Papa moet overwerken en Nina, zijn secretaresse, komt hem halen, was het verhaal. Maar waarom zit ze dan niet achter het stuur? dacht ik. Ik was een pienter kind. Het kwam me meteen vreemd voor dat zijn secretaresse niet achter het stuur zat, hem toch kwam halen en een bontjas droeg en vooral ook heel veel make-up. En ik vond ook dat haar haar te goed zat voor een secretaresse. 's Nachts had ik het erover met Boef. Die bleek het al langer te weten. Later heeft hij me weleens verteld dat mijn vader hem soms over haar vertelde, intieme details over hun seksleven. Het was misschien zijn manier om een band met zijn zoon aan te gaan, mannen-onder-elkaar-praat. Maar die band is er nooit gekomen. Boef houdt van zijn moeder. Hij houdt veel meer van haar dan ik, misschien omdat hij het verraad van mijn vader van zo dichtbij heeft gezien.

'Maar waarom hebben jullie het mij nooit verteld?'

'Waarom wel? Het is veel beter om het niet te weten.'

Het lijkt me nu niet het moment om uit de doeken te doen dat er nooit sprake is geweest van wezenlijk contact tussen ons. Dat het ons geheim was, van Boef en mij, en dat het nooit in me opgekomen is om het haar te vertellen. Ik heb haar niet eens willen beschermen. Ik heb het haar gewoon niet willen vertellen. Ze heeft gelijk, ik heb haar buitengesloten.

'Ik vind het een goed idee om het ergens anders over te gaan hebben.'

Laten we het vooral ergens anders over hebben. Alle drek komt bovendrijven, dit is waar ik vandaan kom, dit is het bloed dat in mij stroomt. Mijn kersverse aanstaande zit naast me. Dit is niet wat ik wil dat hij ziet. Ik pak de rand van de tafel vast. Ik heb houvast nodig. Ik durf niet opzij te kijken. Ik schaam me dood. Ik zet mijn voelhorens uit en beweeg ze in zijn richting.

Hij buigt zich naar me toe en fluistert in mijn oor: 'Misschien is het beter als we naar boven gaan.'

Maar het is alsof ik aan mijn stoel geplakt zit. Ik wil het meemaken. Ik weet niet waarom, maar ik wil door, ik moet het meemaken.

Mijn moeder komt terug met een volle fles wodka en glazen.

'Ach kindje, wat is dat nou? Waterlanders? Ben je een beetje moe? Het is natuurlijk een lange dag geweest. Hier,' zegt ze tegen Sonja en ze schenkt een glas in. 'Daar kikker je van op. Je moet het je allemaal niet zo aantrekken. Jij ook, Anton?'

Anton schudt zijn hoofd, houdt zijn hand boven zijn glas en neemt een hap taart.

Mijn vader zit nog steeds voor zich uit te staren.

'Ben je blij met je Rijn-reisje?' vraag ik.

Hij knikt terwijl hij naar de kaart in zijn hand blijft kijken.

'Je moet even iets zeggen,' zegt mijn moeder tegen mijn vader.

'Moet ik iets zeggen? Wat moet ik zeggen dan?'

'Je moet een dankwoordje uitspreken.'

'Ho, ho, wacht even,' zegt Boef en hij staat op. 'We zijn nog niet klaar. Ik heb ook nog iets voor je verjaardag. Daarna mag je beginnen aan het dankwoord. Ga maar vast verzinnen wat je gaat zeggen.'

Hij rent het huis binnen.

Mijn vaders gezicht klaart op.

'Hè, wat gezellig. Gezellig, hè, jongens,' zegt hij.

Er ligt een mug te sterven op tafel. Help ik hem uit zijn lijden door hem plat te drukken met mijn lepel, of laat ik hem kronkelen en laat ik de natuur op zijn beloop?

37

A STONE IS A STONE IS A STONE

'Hier. Ik heb er lang over nagedacht, maar dit leek me het juiste cadeau om je te geven.'

Boef zet een pakje op tafel. Het is zwaar. De tafel trilt ervan.

'Pak maar uit. Het is niet voor onder de douche, dat zeg ik er alvast bij. Of, nou ja, het is maar hoe je het bekijkt. Het is multifunctioneel als je er maar creatief genoeg mee omgaat.' Hij grinnikt.

Mijn vader voelt aan het pakje. Het is verpakt in glimmend hardroze papier en er zit een grote oranje strik omheen.

'Dat zijn de kleuren van dit seizoen,' zegt Sonja. 'Mooi gekozen, Boef. Ik ben zo benieuwd wat erin zit.' Sonja heeft zichzelf bij elkaar geraapt en houdt de moed er weer in.

Ze pakt het cadeau op, weegt het in haar handen, voelt eraan en houdt het even met twee handen bij haar oor en schudt. Misschien denkt ze dat er een fors uitgevallen massief gouden horloge in zit.

'Wat zit hier nou in? Moet je voelen, papa, hoe zwaar. Wat zou erin kunnen zitten? Anton? Heb jij enig idee?'

Anton schudt zijn hoofd en neemt nog een stukje taart.

'Is het een klok? Ik hoor iets tikken.'

'Misschien is het een bom,' zegt Anton.

'Jij moet niet altijd van die stomme dingen zeggen,' en ze slaat hem op zijn arm.

Sonja legt het pakje terug op tafel naast het bord van mijn vader.

'Die taart is heerlijk, jongens, neem ruim,' roept mijn moeder met een glas wodka in haar hand.

'Is het geen heerlijke avond? Ik vind het een heerlijke avond.'

Mijn vader neemt het pakje in zijn handen en weegt het even door het op en neer te bewegen.

'Het is inderdaad zwaar.'

'Het is heel zwaar. Maar leven met jou is ook zwaar, dus dit leek me toepasselijk.'

Mijn vader kijkt hem aan.

'Wat bedoel je daarmee?'

'Daar bedoel ik helemaal niks mee, wat zou ik daar mee moeten bedoelen? Waarom vraagt iedereen de hele avond wat ik bedoel? Ik bedoel wat ik zeg; niets meer en niets minder. Ik praat toch geen Swahili? Maak nou maar open. Dit is ook een beetje van ons allemaal. Zo moet je het maar zien.'

'Ik weet van niks,' haast Sonja zich om te zeggen.

'Wat spannend,' zegt mijn moeder. 'Ik ben razend benieuwd. Maak nou open, wat zit je nou te treuzelen.'

Mijn vader zit nog steeds een beetje bedremmeld naar het pakje te kijken.

'Is het iets voor het Rijn-reisje?' vraagt hij met enige achterdocht in zijn stem.

'Ja, zou kunnen, ja. Maar als je soms denkt dat het een reddingsboei is, dan zit je er vies naast. Maak het nou maar open, dan wordt het je wel duidelijk. Voorzichtig, want het is breekbaar. Het kan tegen een stootje, maar alles kan kapot. Dat moet jij toch weten, pap.'

Mijn vader kijkt hem zwijgend aan, begint dan het plakband los te pulken en maakt voorzichtig het pakje open. Er komt een steen tevoorschijn. Een grote, crèmekleurige steen met een koperen plaatje erop gemonteerd.

Mijn moeder slaat haar hand voor haar mond. Ik kijk Boef verschrikt aan. Hij kijkt strak terug.

'Wat staat er op dat plaatje?' vraagt mijn moeder.

Mijn vader leest voor:

Deze 75 jaar neemt niemand je meer af.
En ons ook niet.
Van harte gefeliciteerd.

'Waar slaat dit op? Wat moet ik met een steen? Wat is dit voor steen?'

'Leuk om neer te zetten, toch?' zegt Boef. 'Ik dacht dat jij iets met stenen had. Het kan dienstdoen als presse-papier, altijd handig. Of als boekensteun, kan ook. Het is maar een idee, het is zomaar een inval. Es denken, waar zou je hem nog meer voor kunnen gebruiken? Waar zou je een steen nou nog meer voor kunnen gebruiken?'

Hij trommelt met zijn vingers op zijn lippen terwijl hij peinzend naar de hemel kijkt.

De avond valt in, het begint donker te worden.

'Ja, ik weet het. Je zou hem kunnen gebruiken om iemand de hersens mee in te slaan. Mama bijvoorbeeld. Of die van mij. Ach, er is van alles te bedenken, dat kan ik wel aan je overlaten. Ik dacht: ik geef je iets voor je hobby. Iets waardoor ik het je makkelijker maak. Je hebt al die jaren zo lopen tobben. Andere oude mensen krijgen een rollator, jij krijgt een steen om het leven makkelijker te maken. Andere vaders krijgen een boormachine om hun hobbykist uit te breiden, jij krijgt een steen zodat je je hobby beter kunt uitoefenen.'

Mijn vader kijkt Boef met grote ogen aan.

'Wat is dit voor gekheid?'

'Nee, nu begrijp je me verkeerd, het is geen gekheid. Het komt uit een heel goed hart. Ben je er niet blij mee? Dat verbaast me.'

'Wat is dit voor onzin? Wat zijn dat voor aantijgingen? Ik heb je moeder nooit met een vinger aangeraakt.'

'Nou,' zegt mijn moeder en ze kijkt naar haar hand en telt haar vingers. 'Met een paar vingers toch wel.'

Een keukenkastje liefje, mama is alweer tegen een keukenkastje op gelopen.

Mama moet gewoon beter uit haar dopjes kijken.

Ze gaat er zo een pleister op doen en dan mag jij er een kusje op geven, dan is het zo over.

'Ik heb nooit iemand met een vinger aangeraakt.'

'Nou,' zegt Sonja, 'dat is niet helemaal waar natuurlijk.'

'Begin jij nou ook al. Het is mijn verjaardag, verdomme. We zouden het gezellig houden.'

'Maar het ís toch gezellig. Ik heb het reuze naar mijn zin,' zegt mijn moeder. Ze pakt de steen.

'Het is een mooie steen. Het lijkt wel een steen uit het muurtje bij het zwembad,' zegt ze terwijl ze de steen van alle kanten bekijkt.

'En de jackpot gaat naar mijn moeder vandaag, jawel!' roept Boef. 'Pierre, wat heeft ze gewonnen? Een kleurentelevisieeee, jaaaa!'

Het is stil aan tafel. Iedereen kijkt naar de steen die op tafel ligt.

'Mijn vader heeft ooit een steen op zijn hoofd gehad, moet je weten,' leg ik Rig uit. Mijn moeder valt me in de rede en neemt het over: 'Het was een bizar ongeluk. De steen heeft zijn hoofd geraakt, hier,' ze wijst naar zijn slaap. 'Die steen heeft zijn hoofd geschampt. Hij heeft er een lelijke vleeswond en een lichte hersenschudding aan overgehouden, maar verder was er niks aan de hand. Hè, Joep? Het was een klein wondertje. Als hij hem recht boven op zijn knar had gekregen had hij hartstikke dood kunnen zijn. Hij werd wakker met een gat in zijn hoofd en die steen lag naast de ligstoel. Alsof hij zo, poef, uit de hemel was komen vallen. Hè, Joep? Het was een wonder, hè? We hebben het muurtje laten dichtsmeren met cement. Het was zo'n muurtje dat bestond uit allemaal losse stenen, zo doen ze dat hier, maar dat is natuurlijk levensgevaarlijk. Er kan er zomaar één tussenuit vallen. Dat zie je maar.'

'Lul niet, mama.' Boefs stem is opeens verstoken van de ironie die normaal in alles doorklinkt. 'Poekie is verdronken en de steen is uit de muur gevallen. Tuurlijk. Droom vooral jullie dromen.'

Hij wendt zich tot Rig.

'Dat is wel iets wat je moet weten voordat je in deze familie trouwt. Onze familie maakt zijn eigen waarheid. Het kan handig zijn om jezelf die vaardigheid eigen te maken. Ik heb in deze familie geleerd dat je iedereen alles kunt wijsmaken als je ze maar iets vertelt wat ze willen geloven. Ik ben er rijk mee geworden. Opties.' Hij knipoogt in mijn richting. 'Weet jij ook meteen waar ik mijn geld mee verdien. Bijvoorbeeld opties in heel foute Russische bedrijven die wapens maken, of bedrijven die smerige pijpleidingen leggen in Nigeria die lekken waardoor het water in de rivieren zo is vervuild dat alles wat erin leeft doodgaat. Allemaal heel erg niet verantwoord. Maar ja, je verdient er wel lekker makkelijk geld mee, want je handelt in lucht. Jong geleerd, oud gedaan. Handelen in illusies. Verspreid een gerucht dat een aandeel zal gaan stijgen en verkoop op tijd. Een kind kan de was doen. Kwestie van de juiste connecties en net iets slimmer zijn dan de mensen om je heen. En vooral geen last hebben van een geweten, want een geweten kan zo lelijk in de weg zitten. Dat is niet handig. Maar gelukkig neemt een kind een voorbeeld aan zijn ouders en laten mijn ouders nou volstrekt gewetenloos door het leven zijn gegaan. Dat is belangrijk in deze familie. Dan weet je dat. Jij lijkt mij een gewetensvolle jongen. Ik zou het op een lopen zetten als ik jou was. Het is erfelijk namelijk, die gewetenloosheid.'

'Is dit dezelfde steen?' vraagt mijn vader.

'Ik denk dat als je er een forensisch onderzoek op los zou laten dat je nog het een en ander tegen zou kunnen komen, ja. Bloedsporen, haren, je hebt best kans dat er nog wel wat DNA te vinden is, misschien zelfs hier en daar een vingerafdruk. Het verbaast me eigenlijk dat het nooit is gebeurd.'

'Wat?'

'Een forensisch onderzoek. Op die steen. Is nooit gedaan toch?'

'Vingerafdrukken?' zegt Sonja. 'Hoezo vingerafdrukken?'

'Het was een ongeluk. Die steen is uit de muur gevallen,' zegt mijn moeder op bezwerende toon. 'Dat muurtje is weleens na hevige regenval spontaan in elkaar gestort. Is het dan zo gek dat er een steen uit valt?'

'Precies, en bijna op het hoofd van papa.'

Mijn vader neemt een slok whisky.

'Hij heeft nog een litteken aan de zijkant van zijn hoofd. Het moest gehecht worden.' Ze schuift met haar hand wat haar opzij. 'Kijk, hier zit het litteken.'

'Blijf van me af,' bromt mijn vader, en hij trekt met een abrupte beweging zijn hoofd terug.

'Hé, waar is dat litteken? Laat me es goed kijken.'

'Blijf ervan af en bemoei je er niet mee.'

'Hij laat zijn haar tegenwoordig wat langer groeien zodat het eroverheen valt. Hè, Joep? Dat heeft Nina hem aangeraden. Nina is zijn kapster. Naast dat ze nog een heleboel andere dingen is, is ze ook zijn kapster. Is het jullie opgevallen dat paps iets aan zijn wallen heeft laten doen? Dat heeft hij voor Nina gedaan. Hij heeft een kleine opknapbeurt gehad, hè, Joepje? Kan hij opgeknapt en al van zijn Rijn-reisje genieten. Wat denk je? Houdt Nina een beetje van bootje varen op de Rijn?'

Rig zit stilletjes naast me. Ik schaam me zo. Ik weet niet wat ik moet doen. Ik weet niet wat ik moet zeggen om het allemaal niet te laten gebeuren, om de avond een andere koers te laten varen. Iets in mij wil door, wil verder. Iets in mij geniet van de avond alsof ik eindelijk heel hard kan krabben waar het jeukt. Ik bal mijn vuisten. Morgen weet ik wat ik had moeten doen en dan is het te laat. Maar nu kan ik alleen maar verder. Ik kijk naar mijn moeder die zachtjes neuriënd naar de kaart met een afbeelding van de Sfinx in haar handen zit te kijken.

'Mam, wie is "we"? Ga je samen met Sonja? Toen je het had over die Nijl-cruise zei je "we",' zeg ik.

'Zei ik "we"? Ja, ik zei "we". Ja, natuurlijk zei ik "we", want ik ga niet alleen natuurlijk. Waar zie je me voor aan, zeg. In mijn eentje op zo'n cruiseboot, ik moet er niet aan denken. Ik ga met Huibert. Had ik dat al verteld, schat, dat ik Huibert weer ben tegengekomen na al die jaren? Zo leuk. Zo gezellig.'

Mijn vader kijkt haar verbluft aan.

'Huibert?'

'Ja,' ze knikt verwoed. 'Huibert, ja. Als jij nou lekker met Nina gaat, dan ga ik met Huibert. Iedereen blij. Toch? Jongens, jullie zijn nu oud en wijs genoeg om de waarheid te weten. Dat moet ook maar es gezegd. Wij, je vader en ik, zijn elkaar nooit zo trouw geweest. Je vader hield van sleutelparty's en ja, dan kunnen er gekke dingen gebeuren, zoals dat ik verliefd werd op de buurman. Dan had papa maar niet zo nodig aan een sleutelparty mee moeten doen. Ik had er geen zin in, maar papa moest zo nodig. En je weet hoe hij is; als hij iets in zijn kop heeft, heeft hij het niet in zijn kont. Maar boontje komt om zijn loontje. Het was toch zo grappig toen hij erachter kwam dat ik verliefd was geworden op Huibert. En Huibert op mij. Je had zijn gezicht moeten zien. Hè, Joep? Onbetaalbaar was die blik van je. Een beetje zoals je nu kijkt. Heel dreigend. Alleen nu ben ik niet bang meer, dat is het verschil. Grappig hè, hoe de tijd zoveel oplost. Ik heb het reuze naar mijn zin, ik vind het hartstikke gezellig.'

'Huibert Verweij? De buurman?' zegt Sonja.

'Ik ben hem weer tegengekomen op Facebook. Zo gezellig. Zijn vrouw is vorig jaar overleden.'

'Ja? Dus?'

'Dus heeft je moeder een affaire,' zegt Boef. 'Ze heeft een affaire met haar oude liefde. Moet ik dan echt alles voor je uitspellen?'

'Is dat zo, mama?' Ik zie dat de tranen in haar ogen schieten.

'Het is geen affaire, hoor. Nee, ben je gek, dat vind ik zo ordinair, nee zeg. Ik ga weg bij je vader. Had ik dat al verteld, Joepiedepoepie, dat ik bij je wegga? O, ik verheug me zo op die Nijlcruise.' Ze klapt blij in haar handen. 'Aan het einde van je leven is het leven heel anders, liefje. Dan heb je andere verantwoordelijkheden. Nee, laat ik het anders zeggen, je hebt helemaal geen verantwoordelijkheden meer. Son, ik zal het je maar verklappen: oud worden is fantastisch.'

Mijn vader zit naar de steen in zijn handen te kijken.

'Iemand zou jou de nek moeten omdraaien,' zegt hij.

'Wat zeg je, liefje?'

'Iemand zou jou de nek moeten omdraaien, zodat dat gekakel van je es ophoudt.'

38

YOU CAN'T HANDLE THE TRUTH

'Doe jij es niet zo onaardig.' Ze geeft hem een klap op zijn arm. Mijn vader zit met een wit weggetrokken gezicht aan tafel en houdt nog steeds de steen in twee handen. Er staat wat zweet op zijn voorhoofd en zijn bovenlip.

Boef zit te grinniken. 'Ik vind het een heel interessante avond hoor, jongens,' zegt hij opgewekt. 'Ik zou zeggen: dit houden we erin. Nu gebeurt er tenminste wat. We zijn tenminste eerlijk tegen elkaar. Ik persoonlijk vind dat een hele verbetering.'

'Jij moet je mond es houden, jij, jij verziekt altijd alles,' roept Sonja weer met tranen in haar ogen.

'O, nou heb ik het gedaan.'

'Ja, natuurlijk heb jij het gedaan, je zit de hele avond al te stoken. Jij kunt nooit es gewoon gezellig doen. Jij zit altijd te stoken.'

'Ik doe niks. Ik heb pa een cadeau gegeven dat recht uit mijn hart komt, dat is alles.'

'Sonja, doe maar rustig, niemand kan er iets aan doen,' zeg ik met verstikte stem. Ik sta niet op, ik loop niet weg, het is alsof mijn lichaam twee keer zo zwaar is.

Rig legt zijn hand op mijn been, maar ik duw hem weg. Ik ben misselijk. Mijn tong ligt als een leren lap in mijn mond.

Ik neem een slok water. Ik haal schokkerig adem. Drie keer snel, één keer langzaam ademen. Ik knik. Ik wil met hem mee. En iets anders in mij is zwaarder en hardnekkiger en doet me op mijn stoel blijven zitten.

Het moet eruit. Ik kan niet anders.

'Nu we toch bezig zijn, die steen is niet uit de muur gevallen,' zeg ik met schorre stem.

'Wat bedoel je?' zegt mijn moeder.

'Je weet heel goed wat ze bedoelt,' valt Boef me bij. 'Hou je toch niet van de domme, mama.'

Hij verheft zijn stem. 'Ik weet heel zeker dat jij precies weet wat ik bedoel. Het is van een gekmakende idiotie dat niemand hier ooit de waarheid heeft verteld over wat er werkelijk is gebeurd. Iedereen houdt de schone schijn op. Iedereen doet alsof. Het is van een hypocrisie die zijn weerga niet kent. En daar moet het maar es mee afgelopen zijn. De waarheid maakt alles schoon. De waarheid bevrijdt. Vandaar die steen. Beschouw het als een roep om de waarheid.'

'Boef, stel je alsjeblieft niet zo aan.'

Hij begint te schreeuwen.

'Ik stel me niet aan. Deze man heeft ons zijn hele leven getiranniseerd en wij moeten doen alsof het feest is omdat hij vijfenzeventig is geworden. We hadden beter moeten mikken, dat is wat we hadden moeten doen.'

'We?' vraagt Sonja.

'Ja, we,' zeg ik.

'We hadden een grotere steen moeten pakken. We hadden sterker moeten zijn. We hadden het jaren later nog es moeten doen, dat is wat we hadden moeten doen.'

'Boef, niet doen,' zeg ik.

'Boef, wel doen.'

Hij staat op en zwalkt op zijn benen. Zijn ogen staan wild en zijn gezicht is opeens krijtwit.

'Dit is de steen die je hebt overleefd. Dat leek me een mooi symbool voor de kracht van je leven, van je levenskracht, van de kracht waarmee je hebt geleefd. En vooral doorgaan,' zegt Boef. 'De kracht waarmee je het hebt gepresteerd om een vallende steen uit zijn koers te laten schieten zodat hij naast je neer kwam, in plaats van dat hij je schedel zou splijten. Ik vind het knap. Je beschikt over een bovennatuurlijke kracht om te overleven. Ik wil de waarheid. En omdat ik mijn hele leven al bezig ben uit te vogelen waarom mijn vader mij haat, weet ik eindelijk de waarheid. De zoon is de dood van de vader. En dat heb je me nooit vergeven. Je hebt me nooit vergeven dat ik ben geboren. Je was zo godvergeten jaloers dat je zelfs jaloers was op je eigen kind. Omdat hij aan de tiet lag. Jouw tiet. Zo ziek ben je. Dat je jaloers was op je eigen kind. Jij hebt nooit van mij gehouden.'

'Ik ben nooit dol op je geweest, nee,' bromt mijn vader. Boef hoort het niet en gaat door met zijn tirade.

'Jullie hadden nooit kinderen mogen nemen. Er zou een ballotagecommissie moeten komen voor wie kinderen mag nemen. Als je een smooth coat terriër wil aanschaffen moet je voor een commissie van twaalf man verschijnen, maar iedere gek kan net zoveel kinderen maken als hij maar wil. Jullie waren niet geschikt. Als je te hard rijdt krijg je een fikse boete en als je niet uitkijkt wordt je rijbewijs afgenomen, maar je kinderen kun je een leven lang terroriseren en mishandelen en dat wordt opvoeding genoemd.'

'Hoe kom jij aan die steen?' vraagt mijn vader.

'Ik heb hem altijd bewaard.'

'Waarom heb jij die steen bewaard?'

'Ik heb die steen bewaard als aandenken aan de grootste fout van mijn leven. En vandaag heb ik besloten hem terug te geven. Je mag hem terug stoppen in de muur als je wilt. Hij is van jou. Mijn fout is nu van jou. Die steen is niet van de muur gevallen. Dat weet ik omdat ik hem heb gegooid. Nee, dat is niet helemaal waar. Het is veel erger.'

'Boef, hou op!' roep ik.

'Ik heb die steen zorgvuldig uitgekozen en ik heb hem Iris laten gooien. En dat is jammer, want als ik het zelf had gedaan, had ik misschien raak gegooid. Maar ik heb hem niet gegooid. Het was Iris' idee. Iris bedacht het spel "Batman en Robin schakelen The Joker uit".'

'En ik heb jou aangewezen als The Joker.'

Hij wijst met een trillende hand naar mijn vader. Het schuim staat op zijn mond.

'Jullie zijn allemaal bekend met Iris en haar fantasieën over het redden van de wereld. Ik heb gekozen en Iris heeft gegooid. Wat een fout. Ik had zelf moeten gooien. De kans van mijn leven en ik heb gemist. Deze steen staat voor mijn falen en jouw overwinning. Is dat geen prachtig cadeau voor je verjaardag? Ik heb de kans van mijn leven voorbij laten gaan. Stom, stom, stom. Zo'n mooie kans, de bal ligt voor het doel, Hartemink schiet en hij mist!!! Oooooo, wat jammer, wat jammer! Jongens, jongens, wat een uitgelezen kans was dit, Boef Hartemink mist de goal en daarmee liggen we uit de competitie. Tjongejongejonge, wat is dit een treurige dag. Mag ik dat zeggen? Ja, dat mag ik zeggen: Boef Hartemink is een lul!'

Ik kan hem niet tillen, hij is te zwaar.

Rollen, je moet hem rollen.

Wacht. We dragen hem samen. We dragen hem samen tot de rand van de muur.

Het lukt niet.

Neem dan die steen, die is kleiner, dat lukt ook wel.

Als ik 'ja' zeg laat jij hem vallen. Op zijn hoofd.

Ja!

39

EEN O ZO VROLIJK FAMILIEFILMPJE

Sonja begint te hoesten. Ik zit te huilen. Boef begint te lachen.

Ik kijk weer naar het schilderij en zie de familiefoto voor me. Mijn moeder kijkt langs de lens naar de man die de foto maakt. Huibert. Haar geliefde.

'Jij kijkt naar Huibert op die foto,' zeg ik zachtjes.

'Ja. Zo had ik toch een beetje een foto van hem, ik kon hem zien in mijn eigen ogen.'

Het was echte liefde. Wie had kunnen denken dat mijn moeder tot echte liefde in staat was? Al die jaren is ze hem in haar hart trouw gebleven.

'Maar mama, waarom ben je dan niet weggegaan?' vraagt Sonja, die witjes om haar neus ziet.

'Omdat hij dreigde met jullie hetzelfde te doen als met Poekie.'

Mijn vader pakt de steen, heft woedend zijn hand op en houdt hem dreigend boven haar hoofd.

'Papa, leg die steen neer,' gilt Sonja.

'Papa, niet doen,' roep ik.

'Goh, nou, die steen komt eerder van pas dan verwacht,' zegt Boef die weer is gaan zitten. 'We kunnen rustig spreken van een eclatant succes.'

Dan draait mijn vader zich om en richt op Boef. Hij gooit. De steen vliegt over de tafel. Boef kan nog net wegduiken. Mijn vader heeft vroeger aan honkbal gedaan en dat is nog steeds te zien. Maar een steen gedraagt zich in de lucht heel anders dan een bal. In plaats van een mooie boog te maken, schiet hij even in een rechte lijn door de lucht om dan vrijwel recht naar beneden te vallen, midden op een bord waar nog een stuk taart op ligt. Het bord breekt in stukjes. Mijn vader staat op, wankelt en pakt zich vast aan de tafel, maar grijpt alleen het tafelkleed. Hij valt om en trekt het tafelkleed met zich mee. Het is een gerinkel van jewelste. De kristallen glaasjes vallen in stukken op het kiezelterras. Mijn bord met een half stuk taart valt op mijn schoot. Ik deins naar achteren, maar kan niet voorkomen dat de glazen karaf met olijfolie over me heen valt. Rig probeert hem op te vangen, maar mist en hij valt in duizend stukjes op de grond. Mijn vader krabbelt op, zijn gezicht wit van woede. Boef staat aan de andere kant van de tafel.

'Pak me dan, als je kan, je kan me toch niet krijgen.'

'Ik vermoord je!' brult mijn vader. 'Ik had jou moeten verzuipen in plaats van die kutkat.'

Er is een luikje opengegaan en de film komt ratelend voorbij, als een Super 8-filmpje. Een gezellig familiefilmpje waarbij iedereen lacht en de kinderen elkaar nat spetteren. Een filmpje in zwart-wit, de kleinste rent lachend naar de lens en wordt getackeld door de oudste. De kleinste barst in huilen uit. De moeder tilt het kind op en omdat de camera draait, knuffelt ze het kind waarbij ze even koket in de lens kijkt en naar de camera wijst om de kleinste af te leiden. De kleinste loopt met de poes in haar armen. Ze babbelt tegen het dier. De poes laat zich gewillig meeslepen. De kleinste draait zich om en lacht in de camera en zoent de poes op zijn kop.

Zo'n filmpje, maar dan anders.

Hij schudde zijn kop heen en weer zoals je de snuit van een puppy door de stront haalt. Boef houdt zijn hand voor mijn ogen. Ik ruik de geur van zijn hand. Zijn hand ruikt naar gras en sigaretten. 'Poekie!' roep ik.

Ik ben verstijfd van schrik. Wat doet papa? Papa leert Poekie zwemmen. Papa haalt Poekie uit het water. Buurman Verweij heeft Poekie in het water geduwd.

Ik ben misselijk. Ik sta op. Ik wankel en pak me vast aan de schouder van Rig waarbij ik hem in zijn nek krab en zijn overhemd besmeur met de taart die aan mijn jurk kleeft. Mijn jurk druipt van de olijfolie. Ik slik speeksel weg, de klieren in mijn mond produceren te veel vocht, ik moet weer slikken, ik ben misselijk. Ik doe een stap naar voren en kijk mijn vader aan. Zijn gezicht rood, zijn gelige oogwit, zijn bezwete voorhoofd, zijn mond een beetje open.

'Het spijt me Iris,' zegt hij.

'Mij ook,' zeg ik en op dat moment golft er een beweging door mijn lichaam waar ik geen beheersing over heb en in een krachtige kramp sproeibraak ik midden in het gezicht van mijn vader.

40

EEN VRAAG DIE JE EERDER HAD MOETEN STELLEN

Ik klap dubbel en houd mijn armen voor mijn maag. Ik hijg. De olijfolie doet mijn jurk aan mijn lijf plakken. Mijn buik krampt. Zo sta ik even dubbel geklapt bij de tafel.

'Heel goed, Iris. Goed gemikt deze keer,' roept Boef.

Hij houdt zijn glas wodka hoog in de lucht.

Mijn vader pakt een servet en begint met trage bewegingen zijn gezicht af te vegen.

Mijn moeder zit met twee handen voor haar gezicht. Ze huilt.

Sonja kijkt me met open mond aan.

Langzaam richt ik me op. Ik ben nog steeds misselijk. Mijn maag doet pijn. Ik pak een servet van tafel en veeg mijn mond schoon.

'Als jullie me even willen excuseren, ik moet even mijn handen wassen.'

Rig staat op en legt een arm om mijn schouder. Ik schud hem van me af.

'Laat me,' zeg ik.

Ik wil alleen zijn. Ik stink. Ik zet een paar stappen richting het huis. Ik wil verdwijnen, ophouden te bestaan, vergeten wie ik ben.

'Liefje,' zegt mijn moeder zacht. 'Hij heeft het zo niet bedoeld.'

Ik houd stil. Er druipt wat olijfolie op de kiezels.

'Wat zei je daar, mama?'

'Hij heeft het zo toch niet bedoeld.'

'Sorry, maar ik begrijp niet helemaal wat je zegt. Wat probeer je me te vertellen? Dat papa het zo niet heeft bedoeld? Is dat zo papa, heb je het zo niet bedoeld? Volgens mij heb je het zo precies bedoeld. Nou? Zeg dan wat, lafbek.'

Hij zit nog steeds met het servet over zijn gezicht te vegen. Hij veegt over zijn ogen, zijn wangen, zijn mond en weer over zijn ogen alsof het een ritueel is om kwade geesten te bezweren.

'Begrijp ik het goed en ga je hem zitten verdedigen? Weet je wat dat betekent, mama? Dat je mij afvalt. Dat je ons afvalt. En dat is precies wat altijd het allerergste is geweest. Dat je niet voor ons opkwam. Heb je enig idee wat je daarmee hebt aangericht?'

'Ik heb het allemaal voor jullie gedaan. Ik dacht dat ik er goed aan deed.'

'Je had er goed aan gedaan om weg te gaan.'

'Hij dreigde jullie iets aan te doen.'

'Gelul,' schreeuw ik buiten zinnen van woede. 'Dan had je eerder weg moeten gaan. Maar je bent met hem mee gaan drinken. Je bent nooit weggegaan, omdat je het lef niet hebt gehad. Sleutelparty's. Je had niet hoeven gaan hoor, mama. Je had gewoon nee kunnen zeggen. Je had een vuist kunnen maken. Je had ervoor kunnen kiezen om een betere moeder te willen zijn. Je had een keuze, mama. Je had zoveel keus. En het enige wat je hebt gedaan is doen wat hij zegt. En daar zijn wij de dupe van geworden. Een kind heeft geen keus. Hoor je? Jij had die keus voor ons moeten maken. Jij had alles kunnen voorkomen door weg te gaan.'

Mijn moeder zit snikkend met haar gezicht in haar handen. Sonja zit hard te huilen. Boef wiebelt op zijn stoel en kijkt neuriend in de verte. Ik kijk naar mijn vader. Opeens zie ik dat hij huilt. Hij zit stil en veegt met het servet de tranen van zijn wangen. Ik heb mijn vader nog nooit zien huilen. Ik zou bijna medelijden met hem krijgen.

Ik ren het terras af. Mijn moeder holt achter me aan.

'Liefje, niet weggaan.'

Ik begin ook te huilen.

'Je had op z'n minst eerlijk kunnen zijn. Zodat ik wist met wie ik te maken had. Ik heb het recht te weten dat mijn vader een monster is.'

'Ik heb je willen beschermen.'

'Nou, dat is dan niet gelukt. Wil je weten waarom ik geen kinderen heb? Omdat ik geen ouders heb. Hoe kun je moeder worden als je nooit kind bent geweest? Ik heb geen kinderen, omdat ik ze geen grootouders kon bieden. Je hebt je nooit beziggehouden met wat ik nodig had. Je hebt je alleen maar beziggehouden met wat je zelf nodig had. Ik had een zoen op mijn wang, een knuffel en geborgenheid nodig. Iemand die aan me vroeg: "Hoe gaat het met je?" of: "Hoe was je dag vandaag?" Iemand bij wie ik me veilig kon voelen. Als je iemand ziet die op mijn moeder lijkt, zeg haar dan hier naartoe te komen. Ik heb er een nodig.'

Ik ril over mijn hele lijf en loop langs haar heen.

'Waar ga je naartoe?'

'Dat is een vraag die je vele jaren geleden had moeten stellen.'

41

DE PONY'S KAUWEN OP HET KNAPPERIGE GRAS

Ik zet het op een lopen. Weg van hier. Ver weg van hier. De lucht is koel. De nacht is helder. Het geluid van mijn voetstappen op de kiezels. Ik wil het blijven horen. Ik ren de weg af naar beneden. Ik hoor het geklingel van de pony's in de wei. In het schemerdonker zie ik ze staan. Ik stap over het schrikdraad en loop naar het schuurtje in het midden van het hobbelige grasveld vol konijnenholen en hopen paardenvijgen.

Als ik naderbij kom reageren ze nerveus en nieuwsgierig.

'Ik ben jullie helemaal vergeten een appeltje te brengen,' zeg ik zo geruststellend mogelijk en barst meteen in snikken uit.

Ik laat me tegen het schuurtje vallen en ga op de grond zitten. De kleinste duwt meteen zijn snoet tegen me aan. Ik neem zijn kop in allebei mijn handen, houd mijn gezicht tegen zijn wang, snuif zijn geur op en aai hem over zijn gespierde nek. Ik denk aan Poekie, en begin nog harder te huilen. Ik herinner me nog steeds hoe haar vacht voelde en hoe ze me aankeek als ze bij me op tafel op haar zij ging liggen en me haar buikje liet zien. Dat beeld heb ik altijd bij me gedragen. Elke avond ging ik naar de tuin. Ik knielde bij de treurwilg om tegen haar te praten. Ik stelde me voor dat haar ziel in de treurwilg zweefde en elke avond putte ik me huilend uit in excuses dat ik er niet op tijd bij was geweest om haar te beschermen. Als ik op tijd was geweest, had ik in het water kunnen springen en dan had ik haar kunnen redden. Als Jane Bond heb ik meneer Verweij in mijn gedachten en fantasieën wel honderd keer omgelegd.

De grootste pony komt dichterbij en duwt met zijn snuit tegen mijn arm. Hij wil ook een knuffel. Of een appeltje, het is ze om het even, als ze maar aandacht krijgen. Een appeltje of een knuffel. Met aan elke kant een pony zit ik tegen het schuurtje aangeleund te huilen.

Ik hoor Rig mijn naam roepen. Ik zie het schijnsel van een zaklantaarn. Als ik mijn mond houd, vindt hij me nooit.

Ik kroel tegen de kop van de kleinste pony.

'Wij blijven hier lekker zitten. Blijf zitten waar je zit en verroer je niet, hou je adem in en stik niet. Vind je ook niet?' fluister ik.

'Iris!' hoor ik hem weer roepen. Hij loopt de weg verder af. Hij denkt dat ik naar het dorp ben gerend op zoek naar een hotelkamer. Ik hoor de paniek in zijn stem. Nou vooruit. Dit is ook zo zielig.

'Ik ben hier,' roep ik, 'in het weiland bij de pony's.'

Even later hoor ik hem vloeken.

'En pas op, er is schrikdraad,' zeg ik er zachtjes achteraan. 'Ik ben bij het schuurtje.'

Hij komt op me af, schijnt met de zaklantaarn in mijn gezicht.

'Daar ben je.'

'Ja.'

'Pas op dat je niet in een paardenvijg gaat zitten.'

'Vind ik heerlijk, ik kom van het platteland, weet je nog. Ik eet ze voor ontbijt.'

Ik grinnik. Mijn neus is verstopt.

'Heb je een zakdoek bij je?'

'Nee.' Hij trekt wat grote bladeren uit de grond. 'Gebruik dit maar.'

Ik snuit mijn neus in wat mijn moeder ongetwijfeld met liefde in een salade zou verwerken.

Als ik aan vanavond denk, word ik weer misselijk en wil ik weer verdwijnen.

'Ik ben blij dat je weer lacht.'

Hij komt naast me tegen het schuurtje zitten.

'Alleen ben ik niet blij. Humor is een bescherming tegen het universum.'

'Hoe voel je je nu?'

'Slecht. Ik heb knerpende koppijn en ik stink.'

'Kom es hier.' Hij legt een arm om mijn schouders en duwt me op zijn schoot. Zijn grote, tedere handen schuiven langs mijn rug omhoog, precies naar de plek waar het pijn doet en waar mijn spanningshoofdpijn vandaan komt en begint die plek te masseren. Terwijl hij met één hand mijn nek masseert, beweegt zijn andere hand zich naar mijn hoofd en wrijft daar zo teder en met zoveel liefde over dat ik me weer een kind voel. Ik begin heel hard te huilen.

'Laat maar gaan. Gooi het er maar uit,' fluistert hij.

'Ik heb geprobeerd mijn vader te vermoorden.'

'Chapeau.'

'Mijn hele leven ben ik bezig geweest dat goed te maken door de überlieve vrouw uit te hangen. Ik heb letterlijk over hem heen gekotst. Er is zoveel gebeurd,' snik ik. 'Ik schaam me zo, ik schaam me zo vreselijk.'

Ik verstop mijn gezicht in mijn handen. Hij blijft mijn rug en nek masseren.

Ik kan niet stoppen met huilen. Er is nog een luikje opengegaan en mijn tranen spuiten eruit. Maar ik huil niet alleen om Poekie. Ik huil om Boef, wiens leven is verwoest omdat hij veel meer onder mijn vader heeft geleden dan ik. Ik huil om Sonja, die watertrappelend door het leven gaat en dat ik het niet kan opbrengen om lief voor haar te zijn. Ik huil om mijn moeder, die haar geluk heeft opgeofferd zonder dat het haar de liefde van haar kinderen heeft opgeleverd. Omdat het te zwaar was, omdat het te moeilijk was om met die man te leven, een leven vol verkeerde keuzes. Voor het eerst voel ik liefde voor haar. Omdat ik zie hoe ze haar best heeft gedaan en omdat ik nu zie dat als ze had geweten hoe anders te handelen, ze dat had gedaan.

Ik ga rechtop zitten.

'Hier,' zeg ik. Ik trek de ring van mijn vinger. 'Het is voorbij.'

'Wat is dit nou?'

'Het is voorbij, dat zeg ik toch. Je bent vrij. Ik kan niet met je trouwen. Je moet niet willen trouwen met iemand uit deze dierentuin. Ik wil iets beters voor jou.'

'Daar heb jij niks over te zeggen.'

'Waar heb ik niks over te zeggen?'

'Over wat goed is voor mij, daar heb jij niks over te zeggen. Ik ben heel goed in staat om voor mezelf te zorgen. Wat heb ik gisteren nou tegen je gezegd? Eerst jezelf redden.'

'Volgens mij ben ik dat aan het doen.'

'Nee, je maakt het kapot omdat je bang bent.'

'Ik ben niet bang, ik ben reëel.'

'Dat zou in jouw geval weleens hetzelfde kunnen zijn.'

'Hoe kan het ooit nog goed en mooi worden na alles wat er is gebeurd?'

'Iris, wat wil je?' vraagt hij.

'Ik wil dat we in een ideale wereld leven en dat wij altijd gelukkig zullen blijven en dat ik nooit meer een probleem zal hebben. Ik ben lastig, ik ben moeilijk, ik vind het leven soms zwaar, ik ben niet altijd vrolijk, al doe ik nog zo mijn best.'

'En denk je nou werkelijk dat ik dat niet weet? Denk je nou werkelijk dat ik alleen maar bij je ben om te zien hoe jij je in alle bochten wringt om geweldig te zijn? Zo werkt het niet. Liefde is niet uit te leggen. Het is geen optelsom. Het is een gevoel en waar dat gevoel vandaan komt, weet ik ook niet. Maar als je niet zou kunnen koken zou ik ook van je houden, begrijp je dat dan niet? Ik hou van je om wie je bent, omdat je lekker ruikt en dat is iets waar je niets aan kunt doen. Je weet zelf niet eens hoe je ruikt. Liefde is een mysterie. Vertrouw het mysterie.'

Ik begin weer te huilen.

'Iris?'

'Ja?'

'Kijk es omhoog.'

Ik kijk omhoog. Er staan duizenden sterren aan de heldere hemel.

'Ja?'

'Snap je wat je ziet?'

'Nee.'

'Heb je er behoefte aan om het te snappen?'

'Eigenlijk wel. Ik heb een grote behoefte om alles te snappen. Het is mijn manier om met het leven om te gaan.'

'Je kunt niet alles begrijpen, je moet het ook niet willen. Daarmee ontdoe je het van zijn schoonheid. Wat als je tot in detail zou begrijpen waarom ik van je hou en bij je wil zijn, weet je wat je dan zou doen?'

'Nee.'

'Dan zou je het kapotmaken om weer iets anders te begrijpen. Zo zit je in elkaar. Dan maak je het mentaal. En liefde is van het hart.'

'Hoor wie het zegt.'

'Hoe bedoel je?'

'Dat zijn meisjesteksten.'

'Mannen hebben het vaker over het hart dan jij denkt. Weet je wat het wonder is?'

Ik schud mijn hoofd.

'Het wonder is niet dat je een leven lang bij elkaar blijft. Het wonder is dat je iemand vindt bij wie je het gevoel hebt dat je er een leven lang bij wilt blijven. Maar of het lukt, dat weet ik niet. Ik heb dit nog nooit gevoeld. Ik heb passionele relaties gehad, maar wat ik nu voel ken ik niet. Daar vertrouw ik op. Ik ben graag bij je. Het is nooit ongemakkelijk. Nou ja, tot vanavond dan.'

'Maar dat bedoel ik dus. Het is begonnen.'

'Iris.'

'Ja?'

'Je bent bang.'

'Ja?'

'Ik wil overgave.'

'Wat is overgave?'

'Loslaten.'

'Wat laat ik los?'

'De uitkomst. Alleen dan werkt het.'

'Wat bedoel je?'

'Ophouden met je af te vragen of het de juiste keuze is. Gewoon doen. Ja zeggen of nee zeggen, maar duik erin.'

'Mag ik er nog even over nadenken?'

'Dat maakt niet uit. Als je nu twijfelt, twijfel je over twee maanden of twee jaar nog. Jouw hoofd twijfelt. Dat doet je hoofd. Los van wat we hebben. Als je hoofd stil is, wat gebeurt er dan? Waar wil je zijn als je je hoofd stillegt? Waar wil je lichaam zijn? Het lichaam liegt niet.'

'Hier.'

'Precies.'

'Hoe voel je je als je hier bij mij bent?'

Hij streelt allebei mijn armen.

'Goed.'

'Dat is het.'

'Wat?'

'Dat is liefde.'

'Maar...'

'Daar gaan we weer. Geef je over. Probeer het niet te bedenken. Doe het gewoon. Kijk waar het leven je brengt.'

'Dat kan ik niet. Dan raak ik in paniek. Ik moet weten wat er zal gebeuren.'

'Dan ga ik.'

'Dan ga je?'

'Dan heeft de liefde geen kans. Misschien drijven we een tijdje op onze gelukshormonen voort. Maar dan komt er iets anders. De realiteit van je hoofd. Van wat je hoofd met je doet, dat wat het altijd zegt. Wat zegt het altijd?'

'Ik wil niet praten over mijn hoofd.'

'Dat is waar je mee leeft. Dat is wat je bedoelt als je zegt: deze mensen zitten in me. Je hoofd is de hemel of de hel. Aan jou de keus. Geef je je niet over, dan geef je je over aan je hoofd. En de hel is gegarandeerd. Je kunt het niet, dat weet je. Je kunt je niet binden. Je durft niet. Waarom niet? Omdat je denkt dat je het niet verdient, omdat je denkt dat je niet goed genoeg bent, omdat je denkt dat het mis zal gaan, omdat je denkt dat ik je pijn zal doen omdat je denkt dat ik je zal afwijzen, omdat je denkt dat ik op je uitgekeken zal raken, omdat je aan alles denkt wat je eerder aan pijn hebt meegemaakt. Valt het je op hoe vaak ik het woord "denken" gebruik?'

Ik zit te huilen.

'We kunnen niet zeker zijn dat het noodlot ons niet zal treffen. We kunnen niet weten of onze liefde blijvend is. We kunnen er alleen maar voor gaan en ons laten dragen en vertrouwen hebben in het leven. Als je kiest en leeft in angst, is dat wat je zult krijgen. Je zult je vastklampen, me gaan controleren en de machtsstrijd, de oorlog, begint. Met af en toe een wapenstilstand. En dat noemen we dan geluk. Dat wil ik niet. Ik wil vrede. Ik wil liefde. Ik wil geluk.'

'Je moet toch problemen oplossen?'

'Als je ze niet maakt, zijn ze er ook niet.'

'Dat is toch niet realistisch.'

'Nee, dat is het ook niet. Maar ik wil het proberen. Door van de afgrond te springen met mijn hand in de jouwe. Ken je die scène uit *Butch Cassidy and the Sundance Kid*?'

Ik knik. Het is een van mijn lievelingsfilms.

'Jij kunt niet zwemmen, maar ik wel. En als je dat durft, durf je alles en kunnen we alles aan. Ook problemen. Want ik begrijp heus wel dat die zullen komen. En als blijkt dat we elkaar over een jaar niet zo interessant vinden, of een ander leven in gedachten hebben, *so be it. Better to have loved and lost than never to have loved at all.* Ik kan je geen levenslang geluk garanderen. Ik zou niets liever willen, want ik wil het ook, maar de eerlijkheid gebiedt me te zeggen dat dat niet gaat. Het is niet reëel. Spring, en doe het zonder de uitkomst te weten. Alleen maar om deze ervaring van ons te hebben. Geloof me. Het is de moeite waard. Maar alleen als je het wilt. Met mij. Als je het wilt, doe het dan. Luister niet naar je angst,' hij wijst op zijn hoofd. 'Luister alleen naar...' Hij wijst naar mijn hart. 'Kijk met je hart, luister met je hart. Je zult versteld staan.'

'Ik weet niet hoe ik dat moet doen.'

'Nu. Er is alleen nu. Niet denken. Geniet van wat er nu is. Kun je dat?'

'Ja.'

'Dat is mooi.'

Hij zoent me.

Het is stil. Krekels tjirpen. De pony's kauwen op het knapperige gras. Het wordt licht. Ik neem zijn gezicht in mijn handen en zeg:

'Wil je met me trouwen?'